PT
1155
T355
.

D1250468

Textbuch Lyrik

Eine rückläufige Anthologie
deutscher Gedichte
von der Gegenwart bis zur
Renaissance

Herausgegeben von Rainer Kußler

Missouri Western State College
Hearnes Learning Resources Center
4525 Downs Drive
St. Joseph, Missouri 64507

Max Hueber Verlag

1. Auflage

3. 2. 1. | Die letzten Ziffern
1982 81 80 79 78 | bezeichnen Zahl und Jahr des Druckes.
Alle Drucke dieser Auflage können nebeneinander benutzt werden.
© 1978 Max Hueber Verlag München
Satz: Johanna Franz, Pfaffenhofen
Druck: Druckerei Manz, Dillingen · Printed in Germany
ISBN 3–19–00.1315–2

Für J. T.

Inhaltsverzeichnis

Vorwort 13

Hildegard Matz
1 hierzulande — heutzutage 15

Manfred Eichhorn
2 familienleben 16
3 Lohnarbeit 16

Peter Maiwald
4 Wohnhaft 17

Rolf Dieter Brinkmann
5 Selbstbildnis im Supermarkt 18

Dieter Fringeli
6 Gras 19
7 Gute alte Zeit 19

Günter Bruno Fuchs
8 Schularbeiten 20

Ernst Jandl
9 (markierung einer wende) 21
10 ottos mops 21
11 calypso 22

Ralph Busch
12 An meinen Vater 23
13 Wechsellied 24

Peter Hacks
14 Ballade vom schweren Leben des Ritters Kauz von
    Rabensee 24

Peter Handke
15 Der Rand der Wörter I 26

Volker von Törne
16 Frage   26

Franz Josef Degenhardt
17 Deutscher Sonntag   27

Franz Mon
18 in den schwanz gebissen   29

Timm Ulrichs
19 denk-spiel   29

Erich Fried
20 Die Maßnahmen   30
21 Definition   31
22 Humorlos   31

Günter Kunert
23 Film — verkehrt eingespannt   32

Hans Magnus Enzensberger
24 nänie auf den apfel   32

Heinz Piontek
25 Um 1800   33

Eugen Gomringer
26 schweigen   34
27 (wind)   34

Peter Härtling
28 der letzte elefant   35

Paul Celan
29 Psalm   36
30 In den Flüssen nördlich der Zukunft   36

Cyrus Atabay
31 All das —   37

Ingeborg Bachmann

32 Es ist Feuer unter der Erde 37
33 Die große Fracht 38
34 Botschaft 38

Günter Eich

35 Inventur 39
36 Aurora 40
37 Zwischenbescheid für bedauernswerte Bäume 40
38 Timetable 41

Bertolt Brecht

39 Mein junger Sohn fragt mich 41
40 Schwächen 42
41 Vergnügungen 42
42 Der Radwechsel 42
43 Der Rauch 43
44 Tannen 43

Gottfried Benn

45 Restaurant 44
46 Was schlimm ist 45
47 Reisen 46
48 Astern 46

Georg Britting

49 Krähenschrift 47

Wilhelm Lehmann

50 An der Eckernförder Bucht 48

Peter Huchel

51 Wintersee 49

Erich Kästner

52 Wieso warum? 49
53 Das Eisenbahngleichnis 50

Manfred Hausmann

54 Die Bremer Stadtmusikanten 51

Joachim Ringelnatz
55 Die Ameisen 53

Georg Trakl
56 Rondel 54
57 Sommer 54
58 Winter 55
59 Verfall 55

Georg Heym
60 Der Gott der Stadt 56
61 Der Abend 57

Alfred Lichtenstein
62 Die Fahrt nach der Irrenanstalt II 57

Jakob von Hoddis
63 Weltende 58

Hans Carossa
64 Finsternisse fallen dichter 58

Else Lasker-Schüler
65 Weltflucht 59

Rainer Maria Rilke
66 Ich fürchte mich so vor der Menschen Wort 59
67 Herbst 60
68 Herbsttag 60

Hugo von Hofmannsthal
69 Vorfrühling 61
70 Die beiden 62
71 Ballade des äußeren Lebens 63
72 Regen in der Dämmerung 64

Stefan George
73 Mein garten bedarf nicht luft und nicht wärme 65

Arno Holz
74 Rote Dächer 66

8

Richard Dehmel
75 Manche Nacht 67

Friedrich Nietzsche
76 Venedig 67
77 Ecce homo 68

Wilhelm Busch
78 Die Affen 68

Conrad Ferdinand Meyer
79 Säerspruch 69
80 Zwei Segel 69
81 Der römische Brunnen 70
82 Die Füße im Feuer 70

Theodor Fontane
83 Die Brück am Tay 73

Gottfried Keller
84 Majorität 75
85 Unter Sternen 76

Karl Isidor Beck
86 Im wilden Viertel 77

Theodor Storm
87 Die Stadt 78
88 Meeresstrand 79

Friedrich Hebbel
89 Herbstbild 79

Eduard Mörike
90 September-Morgen 80
91 Gebet 80
92 Um Mitternacht 80
93 Denk' es, o Seele! 81

Nikolaus Lenau
94 Bitte 82
95 Sonnenuntergang 82

August Heinrich Hoffmann von Fallersleben
96 Wie ist doch die Zeitung interessant! 83

Annette von Droste-Hülshoff
97 Der Knabe im Moor 84
98 Die Vergeltung 85

Heinrich Heine
99 Leise zieht durch mein Gemüt 89
100 Ich weiß nicht, was soll es bedeuten 89
101 Du bist wie eine Blume 90
102 Ich hatte einst ein schönes Vaterland 90
103 Das Fräulein stand am Meere 90

Joseph von Eichendorff
104 Wünschelrute 91
105 Mondnacht 91
106 Der frohe Wandersmann 92
107 Das zerbrochene Ringlein 92

Clemens Brentano
108 Abendständchen 93
109 Wiegenlied 94

Friedrich Hölderlin
110 Hälfte des Lebens 94

Friedrich Schiller
111 Der Handschuh 95
112 Die Worte des Glaubens 97
113 Die Bürgschaft 98

Johann Wolfgang Goethe
114 Maifest 102
115 Gefunden 104
116 Heidenröslein 105
117 Wandrers Nachtlied 105
118 Der Fischer 106
119 Erlkönig 107

120 Der Zauberlehrling 108
121 Türmerlied 111
122 Dämmrung senkte sich von oben 112

Johann Gaudenz von Salis-Seewis
123 Herbstlied 113

Ludwig Christoph Heinrich Hölty
124 Frühlingslied 114
125 Die Mainacht 114

Matthias Claudius
126 Abendlied 115

Friedrich Gottlieb Klopstock
127 Die Sommernacht 117

Gotthold Ephraim Lessing
128 Lob der Faulheit 117

Johann Wilhelm Ludwig Gleim
129 Anakreon 118
130 Letztes Lied 118

Friedrich von Hagedorn
131 Der erste Mai 119

Barthold Heinrich Brockes
132 Kirschblüte bei der Nacht 120

Paul Gerhardt
133 Abendlied 121

Friedrich von Logau
134 Heutige Weltkunst 123
135 Des Krieges Buchstaben 123

Paul Fleming
136 Wie er wollte geküßt sein 124

Andreas Gryphius
137 Menschliches Elende 125

Martin Opitz

138 Schönheit dieser Welt vergehet 125

Sebastian Brant

139 Sich des Todes nicht versehen 126

Quellenverzeichnis 127

Verzeichnis der Anfänge und Überschriften 134

Vorwort

Die vorliegende Sammlung ist als Arbeitsbuch für den Unterricht im Fach Deutsch als Fremdsprache bestimmt. Sie soll von einem möglichst frühen Zeitpunkt an zur Vertiefung und Erweiterung der im Sprachunterricht vermittelten Kenntnisse und Fertigkeiten eingesetzt werden können, später aber auch zur ersten Orientierung über grundlegende Tendenzen deutscher Lyrik seit etwa 1500 dienen.

Dieser Zielsetzung entspricht die Anlage des Bandes. Die Gedichte sind chronologisch rückläufig angeordnet, und die zeitlich näherliegenden Epochen werden durch eine jeweils größere Zahl von Beispielen repräsentiert als die jeweils früheren. Bei der Auswahl der Texte aus heutiger Zeit, die als umfangreichste Gruppe am Anfang der Sammlung stehen, wurden einerseits solche bevorzugt, die möglichst wenig von der Gegenwartssprache abweichen, andererseits solche, die unter landeskundlichem Aspekt behandelt werden können. Ästhetische Gesichtspunkte spielten dabei eine weniger wichtige Rolle als bei der Auswahl der älteren Gedichte, die vor allem auch die Vielfalt lyrischer Gattungen, Motive und Bauformen dokumentieren sollen.

Als Kriterium für Gegenwartssprache dienten der Wortschatz und die Strukturen, die dem *Zertifikat Deutsch als Fremdsprache* zugrunde liegen und auf denen viele der in den letzten Jahren erschienenen Deutschkurse aufbauen. An ihnen orientiert sich auch das Begleitmaterial zur vorliegenden Sammlung. Das Glossar liefert zu jedem Gedicht Übersetzungen aller Wörter, die nicht im Grundwortschatz des *Zertifikats* erscheinen; es soll dem Schüler die Vorbereitung auf den Unterricht erleichtern. Das Lehrerheft enthält — neben biographischen und bibliographischen Angaben — Hinweise darauf, wie die Beschäftigung mit lyrischen Texten für den Unterricht im Fach Deutsch als Fremdsprache fruchtbar gemacht werden kann.

Rainer Kußler

hierzulande — heutzutage

Man darf alles — man ist frei
hierzulande — heutzutage
man darf gammeln beaten träumen
ruhig bleiben — überschäumen
dösen schuften geldverdienen
reden schweigen lieben hassen

man darf alles bleiben lassen

darf sich die regierung wählen
und parteien zugesellen
darf sich auf die straße stellen
protestieren und marschieren
würfeln knobeln und verlieren

hat man was — man darf's verschenken

und ganz ohne nachzudenken
darf man sich in alles fügen
und sich dabei selbst betrügen
rekeln sich im wohlstandsschein

und so recht zufrieden sein

man darf mächtig konsumieren
und auch andere verführen
man darf mit werbung und parolen
andre menschen auch verkohlen

man haut alles auf die preise

und überhört dabei die leise
frage nach der selbstbesinnung
braucht man da noch mitbestimmung

familienleben

ich nahm ihre hand
und wir versprachen uns
ein gemeinsames leben

nun treffen wir uns
noch zweimal täglich
an der haustür
wenn ich zur arbeit gehe
und sie von der arbeit kommt
und umgekehrt

es kommt uns
schon seltsam vor
wenn wir uns dabei
duzen

3   **Lohnarbeit**

900 Mark netto
   davon gehen ab
290 Mark Miete
   davon gehen ab
 50 Mark für die Straßenbahn
   davon gehen ab
500 Mark Wirtschaftsgeld
   für die Frau und
   die Kinder brauchen was
   anzuziehn und
   der Winter steht vor der Tür
   davon gehen ab
 20 Jahre meines Lebens
   gehen davon ab

Wohnhaft

Der Beamte fragte:
Wohnhaft?
Der Arbeiter B.,
stockend für einen Augenblick,
überdachte die Kopfzahl seiner Familie,
die viel zu engen Räume,
das fehlende Badezimmer,
die Feuchtigkeit der Wände,
das Klo auf der Treppe,
den Mietpreis,
und antwortete
JA.

Selbstbildnis im Supermarkt
Für Dieter Wellershoff

In einer
großen
Fensterscheibe des Super-

markts komme ich mir selbst
entgegen, wie ich bin.

Der Schlag, der trifft, ist
nicht der erwartete Schlag
aber der Schlag trifft mich

trotzdem. Und ich geh weiter

bis ich vor einer kahlen
Wand steh und nicht weiter
weiß.

Dort holt mich später dann
sicher jemand

ab.

Gras
Für Alfred Andersch

Über das Gras
In das sie gebissen haben
Ist Gras gewachsen

Ist das Gras gewachsen
In das wir
Beißen werden

Über das Gras
In das wir beißen werden
Wird Gras wachsen

Wird das Gras wachsen
In das ihr
Beißen werdet

Über das Gras
In das ihr beißen werdet
Wird Gras wachsen

Gute alte Zeit   7

Das waren noch Zeiten
Als sich noch sagen ließ:
Das waren noch Zeiten

Günter Bruno Fuchs

Schularbeiten

Der Fortschritt
hat keene Lust, sich
zu kümmern um
mir. Und wat mir anjeht, habick
keene Lust, mir
um den Fortschritt

zu kümmern. Denn
unsereins
war ja
als Mensch
wohl zuerst da.

So, mein Kind, das
schreibste
in dein Schulheft
rein.

1944   1945

1944	1945
krieg	krieg
krieg	krieg
krieg	krieg
krieg	krieg
krieg	mai
krieg	
krieg	
krieg	
krieg	
krieg	
krieg	

(markierung einer wende)

ottos mops   10

ottos mops trotzt
otto: fort mops fort
ottos mops hopst fort
otto: soso

otto holt koks
otto holt obst
otto horcht
otto: mops mops
otto hofft

ottos mops klopft
otto: komm mops komm
ottos mops kommt
ottos mops kotzt
otto: ogottogott

calypso

ich was not yet
in brasilien
nach brasilien
wulld ich laik du go

wer de wimen
arr so ander
so quait ander
denn anderwo

ich was not yet
in brasilien
nach brasilien
wulld ich laik du go

als ich anderschdehn
mange lanquidsch
will ich anderschdehn
auch lanquidsch in rioo

ich was not yet
in brasilien
nach brasilien
wulld ich laik du go

wenn de senden
mi across de meer
wai mich not senden wer
ich wulld laik du go

yes yes de senden
mi across de meer
wer ich was not yet
ich laik du go sehr

ich was not yet
in brasilien
yes nach brasilien
wulld ich laik du go

Ralph Busch

An meinen Vater
(den Generaldirektor)

Meine Fahne
ist schwarz
vom Aschenbrand.
Meine Fahne
ist rot
vom Blut im Sand.
Meine Fahne
ist golden
vom Gold dafür.
Und diese Fahne
die verdank ich dir.

13   **Wechsellied**

Ich wohn in meines Vaters Land,
das wird das schwarze Land genannt.
Hört, warum man's so nennt:
da war einst viel verbrennt.

Ich wohn in meines Vaters Land,
das wird das rote Land genannt.
Warum man das so rufen tut:
Da floß einst vieles Blut.

Ich wohn in meines Vaters Land,
das wird das goldne Land genannt.
Warum's wohl diesen Nam' erhält:
da gibt's das viele Geld.

14   Peter Hacks

**Ballade vom schweren Leben
des Ritters Kauz von Rabensee**

Es war ein alter Ritter,
Herr Kauz vom Rabensee.
Wenn er nicht schlief, dann stritt er.
Er hieß: der Eiserne.

Sein Mantel war aus Eisen,
Aus Eisen sein Habit.
Sein Schuh war auch aus Eisen.
Sein Schneider war der Schmied.

Ging er auf einer Brücke
Über den Rhein — pardauz!
Sie brach in tausend Stücke.
So schwer war der Herr Kauz.

Lehnt er an einer Brüstung,
Es macht sofort: pardauz!
So schwer war seine Rüstung.
So schwer war der Herr Kauz.

Und ging nach solchem Drama
Zu Bett er, müd wie Blei:
Sein eiserner Pyjama
Brach auch das Bett entzwei.

Der Winter kam mit Schnaufen,
Mit Kälte und mit Schnee.
Herr Kauz ging Schlittschuh laufen
Wohl auf dem Rabensee.

Er glitt noch eine Strecke
Aufs stille Eis hinaus.
Da brach er durch die Decke
Und in die Worte aus:

Potz Bomben und Gewitter,
Ich glaube, ich ersauf!
Dann gab der alte Ritter
Sein schweres Leben auf.

15   Peter Handke

Der Rand der Wörter I

Der Stadtrand	:	Der Rand der Stadt
Der Gletscherrand	:	Der Rand des Gletschers
Der Grabenrand	:	Der Rand des Grabens
Der Schmutzfleckrand	:	Der Rand des Schmutzflecks
Der Feldrand	:	Der Rand des Feldes
Der Wegrand	:	· Der Rand des Weges
Der Trauerrand	:	Der Rand der Trauer

16   Volker von Törne

Frage

Mein Großvater starb
an der Westfront;
mein Vater starb
an der Ostfront: an was
sterbe ich?

26

Deutscher Sonntag

Sonntags in der kleinen Stadt,
wenn die Spinne Langeweile
Fäden spinnt und ohne Eile
giftig-grau die Wand hochkriecht,
wenn's blank und frisch gebadet riecht,
dann bringt mich keiner auf die Straße,
und aus Angst und Ärger lasse
ich mein rotes Barthaar stehn,
lass' den Tag vorübergehn,
hock am Fenster, lese meine
Zeitung, decke Bein mit Beine,
seh, hör und rieche nebenbei
das ganze Sonntagseinerlei.

Da treten sie zum Kirchgang an,
Familienleittiere voran,
Hütchen, Schühchen, Täschchen passend,
ihre Männer unterfassend,
die sie heimlich vorwärts schieben,
weil die gern zu Hause blieben.
Und dann kommen sie zurück
mit dem gleichen bösen Blick,
Hütchen, Schühchen, Täschchen passend,
ihre Männer unterfassend,
die sie heimlich heimwärts ziehn,
daß sie nicht in Kneipen fliehn.

Wenn die Bratendüfte wehen,
Jungfraun den Kaplan umstehen,
der so nette Witzchen macht.
Und wenn es dann so harmlos lacht,
wenn auf allen Fensterbänken
Pudding dampft, und aus den Schenken

Schinkenspeckgesichter lachen
treuherzig, weil Knochen krachen
werden. Ich verstopf die Ohren
meiner Kinder. Traumverloren
hocken auf den Stadtparkbänken
Greise, die an Sedan denken.

Dann ist die Spaziergangstunde,
durch die Stadt, zweimal die Runde.
Hüte ziehen, spärlich nicken,
wenn ein Chef kommt, tiefer bücken.
Achtung, daß die Sahneballen
dann nicht in den Rinnstein rollen.
Kinder baumeln, ziehen Hände,
man hat ihnen bunte, fremde
Fliegen — Beine ausgefetzt —
sorgsam an den Hals gesetzt,
daß sie die Kinder beißen solln,
wenn sie zum Bahndamm fliehen wolln.

Wenn zur Ruh die Glocken läuten,
Kneipen nur ihr Licht vergeuden,
wird's in Couchecken beschaulich.
Das ist dann die Zeit, da trau ich
mich hinaus, um nachzusehen
ob die Sterne richtig stehen.
Abendstille überall. Bloß
manchmal Lachen wie ein Windstoß
über ein Mattscheibenspäßchen.
Jeder schlürft noch rasch ein Gläschen
und stöhnt über seinen Bauch
und unsern kranken Nachbarn auch.

Sonntags in der kleinen Stadt,
sonntags in der deutschen Stadt.

Durch ein Versehen entfiel eine Manuskriptseite des Gedichts Nr. 17 von Franz Josef Degenhardt „Deutscher Sonntag". Wir bitten dies zu entschuldigen.

schallt das Lied vom Wiesengrund
und daß am Bach ein Birklein stund,
alle Glocken läuten mit,
die ganze Stadt kriegt Appetit:
Das ist dann genau die Zeit,
da frier ich vor Gemütlichkeit.

Da hockt die ganze Stadt und mampft,
daß Bratenschweiß aus Fenstern dampft.
Durch die fette Stille dringen
Gaumenschnalzen, Schüsselklingen,
Messer, die auf Knochen stoßen,
und das Blubbern dicker Soßen.
Hat nicht irgendwas geschrien?
Jetzt nicht aus dem Fenster sehn,
wo auf Hausvorgärtenmauern
ausgefranste Krähen lauern.
Was nur da geschrien hat?
Ich werd so entsetzlich satt.

Wenn Zigarrenwolken schweben,
aufgeblähte Nüstern beben,
aus Musiktruhn Donauwellen
plätschern, über Mägen quellen,
hat die Luft sich angestaut,
die ganze Stadt hockt und verdaut.
Woher kam der laute Knall?
Brach ein Flugzeug durch den Schall?
Oder ob mit'm Mal die Stadt
ihr Bäuerchen gelassen hat?
Die Luft riecht süß und säuerlich.
Ich glaube, ich erbreche mich.

Dann geht's zu den Schlachtfeldstätten,
um im Geiste mitzutreten,
mitzuschießen, mitzustechen,
sich für wochentags zu rächen,
um im Chor Worte zu röhren,
die beim Gottesdienst nur stören.

Franz Mon

in den schwanz gebissen

wer zuletzt lacht lacht zuerst noch
wer zuzweit lacht lacht zweimal
wer gleich lacht lacht doppelt
wer zuerst kommt mahlt am besten
wer zuzweit kommt sieht doppelt
wer nicht kommt lacht am schluß noch
wer zuletzt kommt beißt die hunde

Timm Ulrichs

denk-spiel
(nach descartes)

ich denke, also bin ich.
ich bin, also denke ich.
ich bin also, denke ich.
ich denke also: bin ich?

Erich Fried

Die Maßnahmen

Die Faulen werden geschlachtet
die Welt wird fleißig

Die Häßlichen werden geschlachtet
die Welt wird schön

Die Narren werden geschlachtet
die Welt wird weise

Die Kranken werden geschlachtet
die Welt wird gesund

Die Traurigen werden geschlachtet
die Welt wird lustig

Die Alten werden geschlachtet
die Welt wird jung

Die Feinde werden geschlachtet
die Welt wird freundlich

Die Bösen werden geschlachtet
die Welt wird gut

Definition

Ein Hund
der stirbt
und der weiß
daß er stirbt
wie ein Hund

und der sagen kann
daß er weiß
daß er stirbt
wie ein Hund
ist ein Mensch

Humorlos

Die Jungen
werfen
zum Spaß
mit Steinen
nach Fröschen

Die Frösche
sterben
im Ernst

Günter Kunert

Film — verkehrt eingespannt

Als ich erwachte
Erwachte ich im atemlosen Schwarz
Der Kiste. Ich hörte: Die Erde tat sich
Auf zu meinen Häupten. Erdschollen
Flogen flatternd zur Schaufel zurück.
Die teure Schachtel mit mir dem teuren
Verblichenen stieg schnell empor.
Der Deckel klappte hoch und ich
Erhob mich und fühlte gleich: Drei
Geschosse fuhren aus meiner Brust
In die Gewehre der Soldaten die
Abmarschierten schnappend
Aus der Luft ein Lied
Im ruhig festen Tritt
Rückwärts.

Hans Magnus Enzensberger

nänie auf den apfel

hier lag der apfel
hier stand der tisch
das war das haus
das war die stadt
hier ruht das land.

dieser apfel dort
ist die erde
ein schönes gestirn
auf dem es äpfel gab
und esser von äpfeln.

Um 1800

Zierlich der Kratzfuß
der Landeskinder,

während wer fürstlich
aufstampft.

Gedichtzeilen.
Stockschläge.

Viele träumen,
daß man sie verkauft.

Die Tinte leuchtet.

Deutschlands
klassische Zeit.

26 Eugen Gomringer

schweigenschweigenschweigen
schweigenschweigenschweigen
schweigen   schweigen
schweigenschweigenschweigen
schweigenschweigenschweigen

27

```
    w w
   d i
  n n n
 i d i d
w     w
```

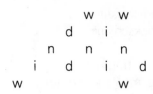

der letzte elefant

ich bin der letzte elefant.
vor hundert jahren fand
mich ein schwarzer prinz und band
an seinen traum mich fest.

der prinz ist tot. und meine haut
ist schwarz vom wetter angerauht.
auf meinem rücken war ein haus gebaut —
dort saß mein prinz und hielt mich fest.

ich konnte tanzen. ich war leicht.
man hat mich einst von hof zu hof gereicht:
seht diesen elefanten dem kein andrer gleicht!
und zog mir bunte decken über für das fest.

dann kam der brand der elefantentod.
die wälder sanken ein und auch die märchen starben.
die häuser wurden schwarz die erde rot —
das letzte fest war wild in seinen farben.

die prinzen starben und die löwen auch.
die tore schlugen zu das reich zerfiel.
der zauberer versuchte es mit götterrauch
doch jenem gott wars nur ein spiel.

ich bin der letzte elefant.
mein prinz ist tot. an einem strand
wo ich die wälder nicht mehr fand
hüt ich den letzten baum.

da singt kein vogel. nur der wind.
und sand macht meine augen blind.
vielleicht nimmt einmal doch ein kind
mich mit in seinen traum.

Paul Celan

Psalm

Niemand knetet uns wieder aus Erde und Lehm,
niemand bespricht unsern Staub.
Niemand.

Gelobt seist du, Niemand.
Dir zulieb wollen
wir blühn.
Dir
entgegen.

Ein Nichts
waren wir, sind wir, werden
wir bleiben, blühend:
die Nichts-, die
Niemandsrose.

Mit
dem Griffel seelenhell,
dem Staubfaden himmelswüst,
der Krone rot
vom Purpurwort, das wir sangen
über, o über
dem Dorn.

30   **In den Flüssen** nördlich der Zukunft
werf ich das Netz aus, das du
zögernd beschwerst
mit von Steinen geschriebenen
Schatten.

All das —

Tage, Tage
Wilde Tauben der Vergänglichkeit!
Ach, Mohn und Ähren
Und was sonst noch der Sommer
Im Schilde führte,
Sank in die Abschiedstruhn.

An einem solchen Tag,
Wenn du Boote siehst,
Die über Meere fahren,
Dann tragen sie deine Asche
Und du hältst sie nicht mehr zurück.

Ingeborg Bachmann 32

Es ist Feuer unter der Erde,
und das Feuer ist rein.

Es ist Feuer unter der Erde
und flüssiger Stein.

Es ist ein Strom unter der Erde,
der strömt in uns ein.

Es ist ein Strom unter der Erde,
der sengt das Gebein.

Es kommt ein großes Feuer,
es kommt ein Strom über die Erde.

Wir werden Zeugen sein.

33   **Die große Fracht**

Die große Fracht des Sommers ist verladen,
das Sonnenschiff im Hafen liegt bereit,
wenn hinter dir die Möwe stürzt und schreit.
Die große Fracht des Sommers ist verladen.

Das Sonnenschiff im Hafen liegt bereit,
und auf die Lippen der Galionsfiguren
tritt unverhüllt das Lächeln der Lemuren.
Das Sonnenschiff im Hafen liegt bereit.

Wenn hinter dir die Möwe stürzt und schreit,
kommt aus dem Westen der Befehl zu sinken;
doch offnen Augs wirst du im Licht ertrinken,
wenn hinter dir die Möwe stürzt und schreit.

34   **Botschaft**

Aus der leichenwarmen Vorhalle des Himmels tritt die Sonne.
Es sind dort nicht die Unsterblichen,
sondern die Gefallenen, vernehmen wir.

Und Glanz kehrt sich nicht an Verwesung. Unsere Gottheit,
die Geschichte, hat uns ein Grab bestellt,
aus dem es keine Auferstehung gibt.

Inventur

Dies ist meine Mütze,
dies ist mein Mantel,
hier ist mein Rasierzeug
im Beutel aus Leinen.

Konservenbüchse:
Mein Teller, mein Becher,
ich hab in das Weißblech
den Namen geritzt.

Geritzt hier mit diesem
kostbaren Nagel,
den vor begehrlichen
Augen ich berge.

Im Brotbeutel sind
ein Paar wollene Socken
und einiges, was ich
niemand verrate,

so dient es als Kissen
nachts meinem Kopf.
Die Pappe hier liegt
zwischen mir und der Erde.

Die Bleistiftmine
lieb ich am meisten:
Tags schreibt sie mir Verse,
die nachts ich erdacht.

Dies ist mein Notizbuch,
dies meine Zeltbahn,
dies ist mein Handtuch,
dies ist mein Zwirn.

Aurora

Aurora, Morgenröte,
du lebst, oh Göttin, noch!
Der Schall der Weidenflöte
tönt aus dem Haldenloch.

Wenn sich das Herz entzündet,
belebt sich Klang und Schein,
Ruhr oder Wupper mündet
in die Ägäis ein.
Uns braust ins Ohr die Welle
vom ewigen Mittelmeer.
Wir selber sind die Stelle
von aller Wiederkehr.

In Kürbis und in Rüben
wächst Rom und Attika.
Gruß dir, du Gruß von drüben,
wo einst die Welt geschah!

37 **Zwischenbescheid für bedauernswerte Bäume**

Akazien sind ohne Zeitbezug.
Akazien sind soziologisch unerheblich.
Akazien sind keine Akazien.

Timetable

Diese Flugzeuge
zwischen Boston und Düsseldorf.
Entscheidungen aussprechen
ist Sache der Nilpferde.
Ich ziehe vor,
Salatblätter auf ein
Sandwich zu legen und
unrecht zu behalten.

Bertolt Brecht

Mein junger Sohn fragt mich: Soll ich Mathematik lernen?
Wozu, möchte ich sagen. Daß zwei Stück Brot mehr ist als eines
Das wirst du auch so merken.
Mein junger Sohn fragt mich: Soll ich Französisch lernen?
Wozu, möchte ich sagen. Dieses Reich geht unter. Und
Reibe du nur mit der Hand den Bauch und stöhne
Und man wird dich schon verstehen.
Mein junger Sohn fragt mich: Soll ich Geschichte lernen?
Wozu, möchte ich sagen. Lerne du deinen Kopf in die Erde stecken
Da wirst du vielleicht übrigbleiben.

Ja, lerne Mathematik, sage ich
Lerne Französisch, lerne Geschichte!

(Nr. VI des Zyklus' „1940")

40 **Schwächen**

Du hattest keine
Ich hatte eine:
Ich liebte.

41 **Vergnügungen**

Der erste Blick aus dem Fenster am Morgen
Das wiedergefundene alte Buch
Begeisterte Gesichter
Schnee, der Wechsel der Jahreszeiten
Die Zeitung
Der Hund
Die Dialektik
Duschen, Schwimmen
Alte Musik
Bequeme Schuhe
Begreifen
Neue Musik
Schreiben, Pflanzen
Reisen
Singen
Freundlich sein.

42 **Der Radwechsel**

Ich sitze am Straßenhang.
Der Fahrer wechselt das Rad.
Ich bin nicht gern, wo ich herkomme.
Ich bin nicht gern, wo ich hinfahre.
Warum sehe ich den Radwechsel
Mit Ungeduld?

Der Rauch

Das kleine Haus unter Bäumen am See.
Vom Dach steigt Rauch.
Fehlte er
Wie trostlos dann wären
Haus, Bäume und See.

Tannen

In der Frühe
Sind die Tannen kupfern.
So sah ich sie
Vor einem halben Jahrhundert
Vor zwei Weltkriegen
Mit jungen Augen.

Restaurant

Der Herr drüben bestellt sich noch ein Bier,
das ist mir angenehm, dann brauche ich mir keinen Vorwurf zu
[machen
daß ich auch gelegentlich einen zische.
Man denkt immer gleich, man ist süchtig,
in einer amerikanischen Zeitschrift las ich sogar,
jede Zigarette verkürze das Leben um sechsunddreißig Minuten,
das glaube ich nicht, vermutlich steht die Coca-Cola-Industrie
oder eine Kaugummifabrik hinter dem Artikel.

Ein normales Leben, ein normaler Tod
das ist auch nichts. Auch ein normales Leben
führt zu einem kranken Tod. Überhaupt hat der Tod
mit Gesundheit und Krankheit nichts zu tun,
er bedient sich ihrer zu seinem Zwecke.

Wie meinen Sie das: der Tod hat mit Krankheit nichts zu tun?
Ich meine das so: viele erkranken, ohne zu sterben,
also liegt hier noch etwas anderes vor,
ein Fragwürdigkeitsfragment,
ein Unsicherheitsfaktor,
er ist nicht so klar umrissen,
hat auch keine Hippe,
beobachtet, sieht um die Ecke, hält sich sogar zurück
und ist musikalisch in einer anderen Melodie.

Wenn man kein Englisch kann,
von einem guten englischen Kriminalroman zu hören,
der nicht ins Deutsche übersetzt ist.

Bei Hitze ein Bier sehen,
das man nicht bezahlen kann.

Einen neuen Gedanken haben,
den man nicht in einen Hölderlinvers einwickeln kann,
wie es die Professoren tun.

Nachts auf Reisen Wellen schlagen hören
und sich sagen, daß sie das immer tun.

Sehr schlimm: eingeladen sein,
wenn zu Hause die Räume stiller,
der Café besser
und keine Unterhaltung nötig ist.

Am schlimmsten:
nicht im Sommer sterben,
wenn es hell ist
und die Erde für Spaten leicht.

47 **Reisen**

Meinen Sie Zürich zum Beispiel
sei eine tiefere Stadt,
wo man Wunder und Weihen
immer als Inhalt hat?

Meinen Sie, aus Habana,
weiß und hibiskusrot,
bräche ein ewiges Manna
für Ihre Wüstennot?

Bahnhofstraßen und Ruen,
Boulevards, Lidos, Laan —
selbst auf den Fifth Avenuen
fällt Sie die Leere an —

Ach, vergeblich das Fahren!
Spät erst erfahren Sie sich:
bleiben und stille bewahren
das sich umgrenzende Ich.

48 **Astern**

Astern — schwälende Tage,
alte Beschwörung, Bann,
die Götter halten die Waage
eine zögernde Stunde an.

Noch einmal die goldenen Herden
der Himmel, das Licht, der Flor,
was brütet das alte Werden
unter den sterbenden Flügeln vor?

Noch einmal das Ersehnte,
den Rausch, der Rosen Du —
der Sommer stand und lehnte
und sah den Schwalben zu,

noch einmal ein Vermuten,
wo längst Gewißheit wacht:
die Schwalben streifen die Fluten
und trinken Fahrt und Nacht.

Georg Britting

Krähenschrift

Die Krähen schreiben ihre Hieroglyphen
In den Abendhimmel, in den bleichen:
Wunderliche, schnörkelhafte Zeichen,
Tun geheimnisvoll mit ihren schiefen
Schwarzen Flügen.

Was sie schreiben, ob es uns betrifft?
Wer es deuten könnte, wär ein weiser Mann.
Ach, der Anblick nur muß uns genügen!

Hilflos sind wir vor der schwarzen Schrift
An der bleichen Himmelswand,
Wie ein Kind, das noch nicht lesen kann,
Und das Blatt verkehrt hält in der Hand.

Wilhelm Lehmann

An der Eckernförder Bucht

Wärme streichelt mein Lid.
Auge, verwandelt, sieht
Durch graues Weidenblatt
Eine italische Stadt.

Silberne Weide gleicht
Einer Olive. Leicht
Wie sie die Blätter rührt,
Werde ich südwärts geführt.

Da der Mittag es zieht,
Schließt sich willig das Lid:
Heißer Zikadenchor
Pocht an das innere Ohr.

Ochsenpaar schleppt ohne Hast
Die carrarische Last,
Weiß aufstäubender Grus,
Bröckelt der Weg ihrem Fuß.

Öl schenkt der graue Baum.
Den Quattrocentotraum
Träumt Florenz, der es feit
Gegen den Sturm der Zeit.

Öffnest du ungern das Lid,
Bang, das Gesicht entflieht?
Aber wie Taube grau
Flattert das Weidenblatt,

Aus dem zaudernden Dunst
Hebt eine himmlische Gunst
Ostsee, glyzinienblau,
Und italienische Stadt.

Wintersee

Ihr Fische, wo seid ihr
mit schimmernden Flossen?
Wer hat den Nebel,
das Eis beschossen?

Ein Regen aus Pfeilen,
ins Eis gesplittert,
so steht das Schilf
und klirrt und zittert.

Erich Kästner 52

Wieso Warum?

Warum sind tausend Kilo eine Tonne?
Warum ist dreimal Drei nicht Sieben?
Warum dreht sich die Erde um die Sonne?
Warum heißt Erna Erna statt Yvonne?
Und warum hat das Luder nicht geschrieben?

Warum ist Professoren alles klar?
Warum ist schwarzer Schlips zum Frack verboten?
Warum erfährt man nie, wie alles war?
Warum bleibt Gott grundsätzlich unsichtbar?
Und warum reißen alte Herren Zoten?

Warum darf man sein Geld nicht selber machen?
Warum bringt man sich nicht zuweilen um?
Warum trägt man im Winter Wintersachen?
Warum darf man, wenn jemand stirbt, nicht lachen?
Und warum fragt der Mensch bei jedem Quark: Warum?

Das Eisenbahngleichnis

Wir sitzen alle im gleichen Zug
und reisen quer durch die Zeit.
Wir sehen hinaus. Wir sahen genug.
Wir fahren alle im gleichen Zug.
Und keiner weiß, wie weit.

Ein Nachbar schläft, ein andrer klagt,
ein dritter redet viel.
Stationen werden angesagt.
Der Zug, der durch die Jahre jagt,
kommt niemals an sein Ziel.

Wir packen aus. Wir packen ein.
Wir finden keinen Sinn.
Wo werden wir wohl morgen sein?
Der Schaffner schaut zur Tür herein
und lächelt vor sich hin.

Auch er weiß nicht, wohin er will.
Er schweigt und geht hinaus.
Da heult die Zugsirene schrill!
Der Zug fährt langsam und hält still.
Die Toten steigen aus.

Ein Kind steigt aus. Die Mutter schreit.
Die Toten stehen stumm
am Bahnsteig der Vergangenheit.
Der Zug fährt weiter, er jagt durch die Zeit,
und niemand weiß, warum.

Die I. Klasse ist fast leer.
Ein feister Herr sitzt stolz
im roten Plüsch und atmet schwer.
Er ist allein und spürt das sehr.
Die Mehrheit sitzt auf Holz.

Wir reisen alle im gleichen Zug
zur Gegenwart in spe.
Wir sehen hinaus. Wir sahen genug.
Wir sitzen alle im gleichen Zug
und viele im falschen Coupè.

Manfred Hausmann 54

Die Bremer Stadtmusikanten

Ein Esel, schwach und hochbetagt,
ein Hund von Atemnot geplagt,
ein Katzentier mit stumpfem Zahn
und ein dem Topf entwichner Hahn,
die trafen sich von ungefähr
und rieten hin und rieten her,
was sie wohl unternähmen,
daß sie zu Nahrung kämen.

Ich Esel kann die Laute schlagen:
Ja plonga plonga plomm.
Ich Hund will's mit der Pauke wagen:
Rabau rabau rabomm.
Ich Katze kann den Bogen führen:
Miau miau mihie.
Ich Hahn will mit Gesang mich rühren:
Kokürikürikie.

So kamen sie denn überein,
sie wollten Musikanten sein
und könnten's wohl auf Erden
zuerst in Bremen werden.

Ja plonga plonga plomm.
Rabau rabau rabomm.
Miau miau mihie.
Kokürikürikie.

Die Sonne sank, der Wind ging kalt.
Sie zogen durch den dunklen Wald.
Da fanden sie ein Räuberhaus.
Das Licht schien in die Nacht hinaus.
Der Esel, der durchs Fenster sah,
wußt anfangs nicht, wie ihm geschah:
Ihr Kinder und ihr Leute,
was winkt uns da für Beute!

Den Fuß er leis ans Fenster stellte,
ja plonga plonga plomm,
der Hund auf seinen Rücken schnellte,
rabau rabau rabomm,
und auf den Hund die Katze wieder,
miau miau mihie,
zuoberst ließ der Hahn sich nieder,
kokürikürikie.

Das Räubervolk zu Tische saß,
man schrie und lachte, trank und aß.
Und plötzlich brach durchs Fenster
der Sturm der Nachtgespenster:

Ja plonga plonga plomm.
Rabau rabau rabomm.
Miau miau mihie.
Kokürikürikie.

So gräßlich waren Bild und Ton,
daß die Kumpanen jäh entflohn.
Statt ihrer schmausten nun die Vier
bezogen dann ihr Schlafquartier.

Ein Räuber doch mit schiefem Blick
schlich mitternachts ins Haus zurück,
um heimlich zu ergründen,
wie denn die Dinge stünden.

Mit eins war sein Gesicht zerrissen,
miau miau mihie,
sein linkes Bein mit eins zerbissen,
rabau rabau rabomm,
sein Leib getroffen von den Hufen,
ja plonga plonga plomm,
sein Herz erschreckt von wilden Rufen,
kokürikürikie.

Er lief und lief durchs Dickicht quer,
als käm der Teufel hinterher.
Da gab es bei den Tieren
ein großes Jubilieren:
Ja plonga plonga plomm.
Rabau rabau rabomm.
Miau miau mihie.
Kokürikürikie.

Joachim Ringelnatz   55

Die Ameisen

In Hamburg lebten zwei Ameisen,
die wollten nach Australien reisen.
Bei Altona auf der Chaussee
da taten ihnen die Beine weh,
und da verzichteten sie weise
dann auf den letzten Teil der Reise.

Georg Trakl

Rondel

Verflossen ist das Gold der Tage,
Des Abends braun und blaue Farben:
Des Hirten sanfte Flöten starben
Des Abends blau und braune Farben
Verflossen ist das Gold der Tage.

Sommer

Am Abend schweigt die Klage
Des Kuckucks im Wald.
Tiefer neigt sich das Korn,
Der rote Mohn.

Schwarzes Gewitter droht
Über dem Hügel.
Das alte Lied der Grille
Erstirbt im Feld.

Nimmer regt sich das Laub
Der Kastanie.
Auf der Wendeltreppe
Rauscht dein Kleid.

Stille leuchtet die Kerze
Im dunklen Zimmer;
Eine silberne Hand
Löschte sie aus;

Windstille, sternlose Nacht.

Im Winter

Der Acker leuchtet weiß und kalt.
Der Himmel ist einsam und ungeheuer.
Dohlen kreisen über dem Weiher
Und Jäger steigen nieder vom Wald.

Ein Schweigen in schwarzen Wipfeln wohnt.
Ein Feuerschein huscht aus den Hütten.
Bisweilen schellt sehr fern ein Schlitten
Und langsam steigt der graue Mond.

Ein Wild verblutet sanft am Rain
Und Raben plätschern in blutigen Gossen.
Das Rohr bebt gelb und aufgeschossen.
Frost, Rauch, ein Schritt im leeren Hain.

Verfall

Am Abend, wenn die Glocken Frieden läuten,
Folg ich der Vögel wundervollen Flügen,
Die lang geschart, gleich frommen Pilgerzügen,
Entschwinden in den herbstlich klaren Weiten.

Hinwandelnd durch den dämmervollen Garten
Träum ich nach ihren helleren Geschicken
Und fühl der Stunden Weiser kaum mehr rücken.
So folg ich über Wolken ihren Fahrten.

Da macht ein Hauch mich von Verfall erzittern.
Die Amsel klagt in den entlaubten Zweigen.
Es schwankt der rote Wein an rostigen Gittern,

Indes wie blasser Kinder Todesreigen
Um dunkle Brunnenränder, die verwittern,
Im Wind sich fröstelnd blaue Astern neigen.

Der Gott der Stadt

Auf einem Häuserblocke sitzt er breit.
Die Winde lagern schwarz um seine Stirn.
Er schaut voll Wut, wo fern in Einsamkeit
Die letzten Häuser in das Land verirrn.

Vom Abend glänzt der rote Bauch dem Baal,
Die großen Städte knien um ihn her.
Der Kirchenglocken ungeheure Zahl
Wogt auf zu ihm aus schwarzer Türme Meer.

Wie Korybanten-Tanz dröhnt die Musik
Der Millionen durch die Straßen laut.
Der Schlote Rauch, die Wolken der Fabrik
Ziehn auf zu ihm, wie Dunst von Weihrauch blaut.

Das Wetter schwält in seinen Augenbrauen.
Der dunkle Abend wird in Nacht betäubt.
Die Stürme flattern, die wie Geier schauen
Von seinem Haupthaar, das im Zorne sträubt.

Er streckt ins Dunkel seine Fleischerfaust.
Er schüttelt sie. Ein Meer von Feuer jagt
Durch eine Straße. Und der Glutqualm braust
Und frißt sie auf, bis spät der Morgen tagt.

Der Abend

Versunken ist der Tag in Purpurrot,
Der Strom schwimmt weiß in ungeheurer Glätte.
Ein Segel kommt. Es hebt sich aus dem Boot
Am Steuer groß des Schiffers Silhouette.

Auf allen Inseln steigt des Herbstes Wald
Mit roten Häuptern in den Raum, den klaren.
Und aus der Schluchten dunkler Tiefe hallt
Der Waldung Ton, wie Rauschen der Kitharen.

Das Dunkel ist im Osten ausgegossen,
Wie blauer Wein kommt aus gestürzter Urne.
Und ferne steht, vom Mantel schwarz umflossen,
Die hohe Nacht auf schattigem Kothurne.

Alfred Lichtenstein

Die Fahrt nach der Irrenanstalt II

Ein kleines Mädchen hockt mit einem kleinen Bruder
Bei einer umgestürzten Wassertonne.
In Fetzen, fressend liegt ein Menschenluder
Wie ein Zigarrenstummel auf der gelben Sonne.

Zwei dünne Ziegen stehn in weiten grünen Räumen
An Pflöcken, deren Strick sich manchmal straffte.
Unsichtbar hinter ungeheuren Bäumen
Unglaublich friedlich naht das Grauenhafte.

63   Jakob von Hoddis

Weltende

Dem Bürger fliegt vom spitzen Kopf der Hut,
in allen Lüften hallt es wie Geschrei,
Dachdecker stürzen ab und gehn entzwei
und an den Küsten — liest man — steigt die Flut.

Der Sturm ist da, die wilden Meere hupfen
an Land, um dicke Dämme zu zerdrücken.
Die meisten Menschen haben einen Schnupfen.
Die Eisenbahnen fallen von den Brücken.

64   Hans Carossa

Finsternisse fallen dichter
auf Gebirge Stadt und Tal.
Doch schon flimmern kleine Lichter
tief aus Fenstern ohne Zahl.

Immer klarer, immer milder,
längs des Stroms gebognem Lauf,
blinken irdische Sternenbilder
nun zum himmlischen hinauf.

Else Lasker-Schüler

Weltflucht

Ich will in das Grenzenlose
    Zu mir zurück,
Schon blüht die Herbstzeitlose
    Meiner Seele,
Vielleicht — ist's schon zu spät zurück!
O, ich sterbe unter Euch!
Da Ihr mich erstickt mit Euch.
Fäden möchte ich um mich ziehn —
Wirrwarr endend!
    Beirrend,
Euch verwirrend,
    Um zu entfliehn
        Meinwärts!

Rainer Maria Rilke

Ich fürchte mich so vor der Menschen Wort.
Sie sprechen alles so deutlich aus:
Und dieses heißt Hund und jenes heißt Haus,
und hier ist Beginn und das Ende ist dort.

Mich bangt auch ihr Sinn, ihr Spiel mit dem Spott,
sie wissen alles, was wird und war;
kein Berg ist ihnen mehr wunderbar;
ihr Garten und Gut grenzt grade an Gott.

Ich will immer warnen und wehren: Bleibt fern.
Die Dinge singen hör ich so gern.
Ihr rührt sie an: sie sind starr und stumm.
Ihr bringt mir alle die Dinge um.

67   **Herbst**

Die Blätter fallen, fallen wie von weit,
als welkten in den Himmeln ferne Gärten;
sie fallen mit verneinender Gebärde.

Und in den Nächten fällt die schwere Erde
aus allen Sternen in die Einsamkeit.

Wir alle fallen. Diese Hand da fällt.
Und sieh dir andre an: es ist in allen.

Und doch ist Einer, welcher dieses Fallen
unendlich sanft in seinen Händen hält.

68   **Herbsttag**

Herr: es ist Zeit. Der Sommer war sehr groß.
Leg deinen Schatten auf die Sonnenuhren,
und auf den Fluren laß die Winde los.

Befiehl den letzten Früchten voll zu sein;
gib ihnen noch zwei südlichere Tage,
dränge sie zur Vollendung hin und jage
die letzte Süße in den schweren Wein.

Wer jetzt kein Haus hat, baut sich keines mehr.
Wer jetzt allein ist, wird es lange bleiben,
wird wachen, lesen, lange Briefe schreiben
und wird in den Alleen hin und her
unruhig wandern, wenn die Blätter treiben.

Vorfrühling

Es läuft der Frühlingswind
Durch kahle Alleen,
Seltsame Dinge sind
In seinem Wehn.

Er hat sich gewiegt,
Wo Weinen war,
Und hat sich geschmiegt
In zerrüttetes Haar.

Er schüttelte nieder
Akazienblüten
Und kühlte die Glieder,
Die atmend glühten.

Lippen im Lachen
Hat er berührt,
Die weichen und wachen
Fluren durchspürt.

Er glitt durch die Flöte
Als schluchzender Schrei,
An dämmernder Röte
Flog er vorbei.

Er flog mit Schweigen
Durch flüsternde Zimmer
Und löschte im Neigen
Der Ampel Schimmer.

Es läuft der Frühlingswind
Durch kahle Alleen,
Seltsame Dinge sind
In seinem Wehn.

Durch die glatten
Kahlen Alleen
Treibt sein Wehn
Blasse Schatten.

Und den Duft,
Den er gebracht,
Von wo er gekommen
Seit gestern Nacht.

70   **Die beiden**

Sie trug den Becher in der Hand
— Ihr Kinn und Mund glich seinem Rand —,
So leicht und sicher war ihr Gang,
Kein Tropfen aus dem Becher sprang.

So leicht und fest war seine Hand:
Er ritt auf einem jungen Pferde,
Und mit nachlässiger Gebärde
Erzwang er, daß es zitternd stand.

Jedoch, wenn er aus ihrer Hand
Den leichten Becher nehmen sollte,
So war es beiden allzu schwer:
Denn beide bebten sie so sehr,
Daß keine Hand die andre fand
Und dunkler Wein am Boden rollte.

Und Kinder wachsen auf mit tiefen Augen,
Die von nichts wissen, wachsen auf und sterben,
Und alle Menschen gehen ihre Wege.

Und süße Früchte werden aus den herben
Und fallen nachts wie tote Vögel nieder
Und liegen wenig Tage und verderben.

Und immer weht der Wind, und immer wieder
Vernehmen wir und reden viele Worte
Und spüren Lust und Müdigkeit der Glieder.

Und Straßen laufen durch das Gras, und Orte
Sind da und dort, voll Fackeln, Bäumen, Teichen,
Und drohende, und totenhaft verdorrte ...

Wozu sind diese aufgebaut? und gleichen
Einander nie? und sind unzählig viele?
Was wechselt Lachen, Weinen und Erbleichen?

Was frommt das alles uns und diese Spiele,
Die wir doch groß und ewig einsam sind
Und wandernd nimmer suchen irgend Ziele?

Was frommts, dergleichen viel gesehen haben?
Und dennoch sagt der viel, der „Abend" sagt,
Ein Wort, daraus Tiefsinn und Trauer rinnt

Wie schwerer Honig aus den hohlen Waben.

Regen in der Dämmerung

Der wandernde Wind auf den Wegen
War angefüllt mit süßem Laut,
Der dämmernde rieselnde Regen
War mit Verlangen feucht betaut.

Das rinnende rauschende Wasser
Berauschte verwirrend die Stimmen
Der Träume, die blasser und blasser
Im schwebenden Nebel verschwimmen.

Der Wind in den wehenden Weiden,
Am Wasser der wandernde Wind
Berauschte die sehnenden Leiden,
Die in der Dämmerung sind.

Der Weg im dämmernden Wehen,
Er führte zu keinem Ziel,
Doch war er gut zu gehen
Im Regen, der rieselnd fiel.

Mein garten bedarf nicht luft und nicht wärme.
Der garten den ich mir selber erbaut
und seiner vögel leblose schwärme
Haben noch nie einen frühling geschaut.

Von kohle die stämme. von kohle die äste
Und düstere felder am düsteren rain.
Der früchte nimmer gebrochene läste
Glänzen wie lava im pinien-hain.

Ein grauer schein aus verborgener höhle
Verrät nicht wann morgen wann abend naht
Und staubige dünste der mandel-öle
Schweben auf beeten und anger und saat.

Wie zeug ich dich aber im heiligtume
— So fragt ich wenn ich es sinnend durchmaß
In kühnen gespinsten der sorge vergaß —
Dunkle große schwarze blume?

Rote Dächer!
Aus den Schornsteinen, hier und da, Rauch,
oben, hoch, in sonniger Luft, ab und zu, Tauben.
Es ist Nachmittag.
Aus Mohdrickers Garten her gackert eine Henne,
die ganze Stadt riecht nach Kaffee.

Ich bin ein kleiner, achtjähriger Junge
und liege, das Kinn in beide Fäuste,
platt auf dem Bauch
und kucke durch die Bodenluke.
Unter mir, steil, der Hof,
hinter mir, weggeworfen, ein Buch.
Franz Hoffmann. Die Sclavenjäger.

Wie still das ist!

Nur drüben in Knorrs Regenrinne
zwei Spatzen, die sich um einen Strohhalm zanken,
ein Mann, der sägt,
und dazwischen, deutlich von der Kirche her,
in kurzen Pausen, regelmäßig, hämmernd,
der Kupferschmied Thiel.

Wenn ich unten runtersehe,
sehe ich grade auf Mutters Blumenbrett:
ein Topf Goldlack, zwei Töpfe Levkoyen, eine Geranie
und mittendrin, zierlich in einem Cigarrenkistchen,
ein Hümpelchen Reseda.

Wie das riecht? Bis zu mir rauf!

Und die Farben!
Jetzt! Wie der Wind drüber weht!
Die wunder, wunderschönen Farben!

Ich schließe die Augen. Ich sehe sie noch immer.

Richard Dehmel

Manche Nacht

Wenn die Felder sich verdunkeln,
Fühl ich, wird mein Auge heller;
Schon versucht ein Stern zu funkeln,
Und die Grillen wispern schneller.

Jeder Laut wird bilderreicher,
Das Gewohnte sonderbarer,
Hinterm Wald der Himmel bleicher,
Jeder Wipfel hebt sich klarer.

Und du merkst es nicht im Schreiten,
Wie das Licht verhundertfältigt
Sich entringt den Dunkelheiten.
Plötzlich stehst du überwältigt.

Friedrich Nietzsche

Venedig

An der Brücke stand
Jüngst ich in brauner Nacht.
Fernher kam Gesang:
Goldener Tropfen quoll's
Über die zitternde Fläche weg.
Gondeln, Lichter, Musik —
Trunken schwamm's in die Dämmrung hinaus ...

Meine Seele, ein Saitenspiel,
Sang sich, unsichtbar berührt,
Heimlich ein Gondellied dazu,
Zitternd vor bunter Seligkeit.
— Hörte jemand ihr zu? ...

Ecce homo

Ja, ich weiß, woher ich stamme!
Ungesättigt gleich der Flamme
Glühe und verzehr ich mich.
Licht wird alles, was ich fasse,
Kohle alles, was ich lasse:
Flamme bin ich sicherlich!

78 Wilhelm Busch

Die Affen

Der Bauer sprach zu seinem Jungen:
Heut in der Stadt, da wirst du gaffen.
Wir fahren hin und sehn die Affen.
Es ist gelungen
Und um sich schief zu lachen,
Was die für Streiche machen
Und für Gesichter
Wie rechte Bösewichter.
Sie krauen sich,
Sie zausen sich,
Sie hauen sich,
Sie lausen sich,
Beschnuppern dies, beschnuppern das,
Und keiner gönnt dem andern was,
Und essen tun sie mit der Hand,
Und alles tun sie mit Verstand,
Und jeder stiehlt als wie ein Rabe.
Paß auf, das siehst du heute.
O Vater, rief der Knabe,
Sind Affen denn auch Leute?
Der Vater sprach: Nun ja,
Nicht ganz, doch so beinah.

Säerspruch

Bemeßt den Schritt! Bemeßt den Schwung!
Die Erde bleibt noch lange jung!
Dort fällt ein Korn, das stirbt und ruht.
Die Ruh' ist süß. Es hat es gut.
Hier eins, das durch die Scholle bricht.
Es hat es gut. Süß ist das Licht.
Und keines fällt aus dieser Welt,
Und jedes fällt, wie's Gott gefällt.

Zwei Segel 80

Zwei Segel erhellend
Die tiefblaue Bucht!
Zwei Segel sich schwellend
Zu ruhiger Flucht!

Wie eins in den Winden
Sich wölbt und bewegt,
Wird auch das Empfinden
Des andern erregt.

Begehrt eins zu hasten,
Das andre geht schnell,
Verlangt eins zu rasten,
Ruht auch sein Gesell.

81   **Der römische Brunnen**

Aufsteigt der Strahl und fallend gießt
Er voll der Marmorschale Rund,
Die, sich verschleiernd, überfließt
In einer zweiten Schale Grund;
Die zweite gibt, sie wird zu reich,
Der dritten wallend ihre Flut,
Und jede nimmt und gibt zugleich
Und strömt und ruht.

82   **Die Füße im Feuer**

Wild zuckt der Blitz. In fahlem Lichte steht ein Turm.
Der Donner rollt. Ein Reiter kämpft mit seinem Roß,
Springt ab und pocht ans Tor und lärmt. Sein Mantel saust
Im Wind. Er hält den scheuen Fuchs am Zügel fest.
Ein schmales Gitterfenster schimmert goldenhell
Und knarrend öffnet jetzt das Tor ein Edelmann ...

— „Ich bin ein Knecht des Königs, als Kurier geschickt
Nach Nimes. Herbergt mich! Ihr kennt des Königs Rock!"
— „Es stürmt. Mein Gast bist du. Dein Kleid, was kümmert's mich?
Tritt ein und wärme dich! Ich sorge für dein Tier!"
Der Reiter tritt in einen dunkeln Ahnensaal,
Von eines weiten Herdes Feuer schwach erhellt,
Und je nach seines Flackerns launenhaftem Licht
Droht hier ein Hugenott im Harnisch, dort ein Weib,
Ein stolzes Edelweib aus braunem Ahnenbild ...
Der Reiter wirft sich in den Sessel vor dem Herd
Und starrt in den lebend'gen Brand. Er brütet, gafft ...
Leis sträubt sich ihm das Haar. Er kennt den Herd, den Saal ...
Die Flamme zischt. Zwei Füße zucken in der Glut.

Den Abendtisch bestellt die greise Schaffnerin
Mit Linnen blendend weiß. Das Edelmägdlein hilft.
Ein Knabe trug den Krug mit Wein. Der Kinder Blick
Hangt schreckensstarr am Gast und hangt am Herd entsetzt ...
Die Flamme zischt. Zwei Füße zucken in der Glut.
— „Verdammt! Dasselbe Wappen! Dieser selbe Saal!
Drei Jahre sind's ... Auf einer Hugenottenjagd ...
Ein fein, halsstarrig Weib ... ‚Wo steckt der Junker? Sprich!'
Sie schweigt. ‚Bekenn!' Sie schweigt. ‚Gib ihn heraus!' Sie
                                        [schweigt.
Ich werde wild. Der Stolz! Ich zerre das Geschöpf ...
Die nackten Füße pack ich ihr und strecke sie
Tief mitten in die Glut ... ‚Gib ihn heraus!' ... Sie schweigt ...
Sie windet sich ... Sahst du das Wappen nicht am Tor?
Wer heißt dich hier zu Gaste gehen, dummer Narr?
Hat er nur einen Tropfen Bluts, erwürgt er dich." —
Eintritt der Edelmann. „Du träumst! Zu Tische, Gast ..."

Da sitzen sie. Die drei in ihrer schwarzen Tracht
Und er. Doch keins der Kinder spricht das Tischgebet.
Ihn starren sie mit aufgerißnen Augen an —
Den Becher füllt und übergießt er, stürzt den Trunk,
Springt auf: „Herr, gebet jetzt mir meine Lagerstatt!
Müd bin ich wie ein Hund!" Ein Diener leuchtet ihm,
Doch auf der Schwelle wirft er einen Blick zurück
Und sieht den Knaben flüstern in des Vaters Ohr ...
Dem Diener folgt er taumelnd in das Turmgemach.

Fest riegelt er die Tür. Er prüft Pistol und Schwert.
Gell pfeift der Sturm. Die Diele bebt. Die Decke stöhnt.
Die Treppe kracht ... Dröhnt hier ein Tritt? Schleicht dort ein
                                        [Schritt? ...
Ihn täuscht das Ohr. Vorüberwandelt Mitternacht.
Auf seinen Lidern lastet Blei, und schlummernd sinkt
Er auf das Lager. Draußen plätschert Regenflut.
Er träumt. „Gesteh!" Sie schweigt. „Gib ihn heraus!" Sie schweigt.
Er zerrt das Weib. Zwei Füße zucken in der Glut.

71

Aufsprüht und zischt ein Feuermeer, das ihn verschlingt ...
— „Erwach! Du solltest längst von hinnen sein! Es tagt!"
Durch die Tapetentür in das Gemach gelangt,
Vor seinem Lager steht des Schlosses Herr — ergraut,
Dem gestern dunkelbraun sich noch gekraust das Haar.

Sie reiten durch den Wald. Kein Lüftchen regt sich heut.
Zersplittert liegen Ästetrümmer quer im Pfad.
Die frühsten Vöglein zwitschern, halb im Traume noch.
Friedsel'ge Wolken schwimmen durch die klare Luft,
Als kehrten Engel heim von einer näcth'gen Wacht.
Die dunkeln Schollen atmen kräft'gen Erdgeruch.
Die Ebne öffnet sich. Im Felde geht ein Pflug.
Der Reiter lauert aus den Augenwinkeln: „Herr,
Ihr seid ein kluger Mann und voll Besonnenheit
Und wißt, daß ich dem größten König eigen bin.
Lebt wohl! Auf Nimmerwiedersehn!" Der andre spricht:
„Du sagst's! Dem größten König eigen! Heute ward
Sein Dienst mir schwer ... Gemordet hast du teuflisch mir
Mein Weib! Und lebst ... Mein ist die Rache, redet Gott."

Die Brück am Tay
(28. Dezember 1879)

When shall we three meet again?
Macbeth

„Wann treffen wir drei wieder zusamm'?"
    „Um die siebente Stund, am Brückendamm."
        „Am Mittelpfeiler."
                    „Ich lösche die Flamm."
„Ich mit."
    „Ich komme von Norden her."
„Und ich von Süden."
                    „Und ich vom Meer."
„Hei, das gibt einen Ringelreihn,
Und die Brücke muß in den Grund hinein."
„Und der Zug, der in die Brücke tritt
Um die siebente Stund?"
„Ei, der muß mit."
„Muß mit."
                    „Tand, Tand
Ist das Gebilde von Menschenhand."

—

Auf der Norderseite das Brückenhaus —
Alle Fenster sehen nach Süden aus,
Und die Brücknersleut ohne Rast und Ruh
Und in Bangen sehen nach Süden zu,
Sehen und warten, ob nicht ein Licht
Übers Wasser hin „Ich komme" spricht,
„Ich komme, trotz Nacht und Sturmesflug,
Ich, der Edinburger Zug."

Und der Brückner jetzt: „Ich seh einen Schein
Am anderen Ufer. Das muß er sein.
Nun, Mutter, weg mit dem bangen Traum,

Unser Johnie kommt und will seinen Baum,
Und was noch am Baume von Lichtern ist,
Zünd alles an wie zum Heiligen Christ,
Der will heuer zweimal mit uns sein —
Und in elf Minuten ist er herein.''

—

Und es war der Zug. Am Süderturm
Keucht er vorbei jetzt gegen den Sturm,
Und Johnie spricht: ,,Die Brücke noch!
Aber was tut es, wir zwingen es doch.
Ein fester Kessel, ein doppelter Dampf,
Die bleiben Sieger in solchem Kampf,
Und wie's auch rast und ringt und rennt,
Wir kriegen es unter, das Element.

Und unser Stolz ist unsre Brück;
Ich lache, denk ich an früher zurück,
An all den Jammer und all die Not
Mit dem elend alten Schifferboot;
Wie manche liebe Christfestnacht
Hab ich im Fährhaus zugebracht
Und sah unsrer Fenster lichten Schein
Und zählte und konnte nicht drüben sein.'

Auf der Norderseite das Brückenhaus —
Alle Fenster sehen nach Süden aus,
Und die Brücknersleut ohne Rast und Ruh
Und in Bangen sehen nach Süden zu;
Denn wütender wurde der Winde Spiel,
Und jetzt, als ob Feuer vom Himmel fiel,
Erglüht es in niederschießender Pracht
Überm Wasser unten ... Und wieder ist Nacht.

—

„Wann treffen wir drei wieder zusamm'?"
„Um Mitternacht, am Bergeskamm."
„Auf dem hohen Moor, am Erlenstamm."
„Ich komme."
„Ich mit."
„Ich nenn euch die Zahl."
„Und ich die Namen."
„Und ich die Qual."
„Hei!
Wie Splitter brach das Gebälk entzwei."
„Tand, Tand
Ist das Gebilde von Menschenhand."

Gottfried Keller   84

Majorität

Der Mehrheit ist nicht auszuweichen,
Mit Helden- wie mit Schwabenstreichen
Macht sie uns ihre Macht bekannt
Auf Weg und Steg im ganzen Land;
So gebt dem Kind den rechten Namen,
Laßt Ehr' und Schuld ihm und sagt Amen!
Und läuft es dann auf schlechten Sohlen,
So wird es schon der Teufel holen!

Unter Sternen

Wende dich, du kleiner Stern,
Erde! wo ich lebe,
Daß mein Aug', der Sonne fern,
Sternenwärts sich hebe!

Heilig ist die Sternenzeit,
Öffnet alle Grüfte;
Strahlende Unsterblichkeit
Wandelt durch die Lüfte.

Mag die Sonne nun bislang
Andern Zonen scheinen,
Hier fühl ich Zusammenhang
Mit dem All und Einen!

Hohe Lust, im dunklen Tal,
Selber ungesehen,
Durch den majestät'schen Saal
Atmend mitzugehen!

Schwinge dich, o grünes Rund,
In die Morgenröte!
Scheidend rückwärts singt mein Mund
Jubelnde Gebete!

Im wilden Viertel

O Schmerzensbild!
Die Hütten morsch, die Menschen wild!
Die frierenden Kinder hocken,
Verlassen und müßig,
Barfüßig,
Mit ungekämmten Locken.

Ach, wer von ihnen in Lumpen und Socken,
Gestohlen, erhandelt,
Ein Liedchen pfeifend, im Viertel wandelt:
Dem folgen sie gern;
Der ist ein Auserkorener,
Zum Glück Geborener,
Den schauen sie an wie einen Stern.

Da kommen geschlichen,
Vermagert, verblichen,
Aus den Fabriken der Reichen,
Aus den Gehöften ihrer Treiber
Die Männer, die Weiber,
Ein langer, langer Zug von Leichen!

Die Stadt

Am grauen Strand, am grauen Meer
Und seitab liegt die Stadt;
Der Nebel drückt die Dächer schwer,
Und durch die Stille braust das Meer
Eintönig um die Stadt.

Es rauscht kein Wald, es schlägt im Mai
Kein Vogel ohn' Unterlaß;
Die Wandergans mit hartem Schrei
Nur fliegt in Herbstesnacht vorbei,
Am Strande weht das Gras.

Doch hängt mein ganzes Herz an dir,
Du graue Stadt am Meer;
Der Jugend Zauber für und für
Ruht lächelnd doch auf dir, auf dir,
Du graue Stadt am Meer.

Meeresstrand

Ans Haff nun fliegt die Möwe,
Und Dämmrung bricht herein;
Über die feuchten Watten
Spiegelt der Abendschein.

Graues Geflügel huschet
Neben dem Wasser her;
Wie Träume liegen die Inseln
Im Nebel auf dem Meer.

Ich höre des gärenden Schlammes
Geheimnisvollen Ton,
Einsames Vogelrufen —
So war es immer schon.

Noch einmal schauert leise
Und schweiget dann der Wind;
Vernehmlich werden die Stimmen,
Die über der Tiefe sind.

Friedrich Hebbel

Herbstbild

Dies ist ein Herbsttag, wie ich keinen sah!
    Die Luft ist still, als atmete man kaum,
und dennoch fallen raschelnd, fern und nah,
    Die schönsten Früchte ab von jedem Baum.

O stört sie nicht, die Feier der Natur!
    Dies ist die Lese, die sie selber hält,
Denn heute löst sich von den Zweigen nur,
    Was vor dem milden Strahl der Sonne fällt.

September-Morgen

Im Nebel ruhet noch die Welt,
noch träumen Wald und Wiesen:
Bald siehst du, wenn der Schleier fällt,
den blauen Himmel unverstellt,
herbstkräftig die gedämpfte Welt
in warmem Golde fließen.

91   **Gebet**

Herr! schicke, was du willt,
ein Liebes oder Leides;
ich bin vergnügt, daß beides
aus deinen Händen quillt.

Wollest mit Freuden
und wollest mit Leiden
mich nicht überschütten!
Doch in der Mitten
liegt holdes Bescheiden.

92   **Um Mitternacht**

Gelassen stieg die Nacht ans Land,
Lehnt träumend an der Berge Wand,
Ihr Auge sieht die goldne Wage nun
Der Zeit in gleichen Schalen stille ruhn;
    Und kecker rauschen die Quellen hervor,
    Sie singen der Mutter, der Nacht, ins Ohr
        Vom Tage,
Vom heute gewesenen Tage.

Das uralt alte Schlummerlied,
Sie achtet's nicht, sie ist es müd';
Ihr klingt des Himmels Bläue süßer noch,
Der flücht'gen Stunden gleichgeschwung'nes Joch.
Doch immer behalten die Quellen das Wort,
Es singen die Wasser im Schlafe noch fort
Vom Tage,
Vom heute gewesenen Tage.

Denk' es, o Seele! 93

Ein Tännlein grünet wo,
wer weiß, im Walde,
ein Rosenstrauch, wer sagt,
in welchem Garten?
Sie sind erlesen schon,
denk' es, o Seele!
Auf deinem Grab zu wurzeln
und zu wachsen.

Zwei schwarze Rößlein weiden
auf der Wiese,
sie kehren heim zur Stadt
in muntern Sprüngen.
Sie werden schrittweis gehn
mit deiner Leiche;
vielleicht, vielleicht noch eh'
an ihren Hufen
das Eisen los wird,
das ich blitzen sehe!

Nikolaus Lenau

Bitte

Weil' auf mir, du dunkles Auge,
Übe deine ganze Macht,
Ernste, milde, träumerische,
Unergründlich süße Nacht!

Nimm mit deinem Zauberdunkel
Diese Welt von hinnen mir,
Daß du über meinem Leben
Einsam schwebest für und für.

95 Sonnenuntergang;
Schwarze Wolken ziehn,
O wie schwül und bang
Alle Winde fliehn!

Durch den Himmel wild
Jagen Blitze, bleich;
Ihr vergänglich Bild
Wandelt durch den Teich.

Wie gewitterklar
Mein' ich dich zu sehn,
Und dein langes Haar
Frei im Sturme wehn!

Wie ist doch die Zeitung interessant!

Man kann unstreitig zu unsern Tagen *vieles* sagen,
was man noch zu den Zeiten unsrer Väter kaum
leise denken durfte. Vielleicht kommt noch in
dem folgenden Jahrhundert die Zeit, wo man *alles*,
was man denkt und glaubt, *laut* sagen darf.
                              Friedr. Karl Freih. v. Moser
                              Politische Wahrheiten I. 1796 S. XV.

Wie ist doch die Zeitung interessant
Für unser liebes Vaterland!
Was haben wir heute nicht alles vernommen!
Die Fürstin ist gestern niedergekommen,
Und morgen wird der Herzog kommen,
Hier ist der König heimgekommen,
Dort ist der Kaiser durchgekommen,
Bald werden sie alle zusammenkommen —
Wie interessant! wie interessant!
Gott segne das liebe Vaterland!

Wie ist doch die Zeitung interessant
Für unser liebes Vaterland!
Was ist uns nicht alles berichtet worden!
Ein Portepeefähnrich ist Leutnant geworden,
Ein Oberhofprediger erhielt einen Orden,
Die Lakaien erhielten silberne Borden,
Die höchsten Herrschaften gehen nach Norden,
Und zeitig ist es Frühling geworden —
Wie interessant! wie interessant!
Gott segne das liebe Vaterland!

Annette von Droste-Hülshoff

Der Knabe im Moor

Oh, schaurig ist's, übers Moor zu gehn,
Wenn es wimmelt vom Heiderauche,
Sich wie Phantome die Dünste drehn
Und die Ranke häkelt am Strauche,
Unter jedem Tritte ein Quellchen springt,
Wenn aus der Spalte es zischt und singt,
Oh, schaurig ist's, übers Moor zu gehn,
Wenn das Röhricht knistert im Hauche!

Fest hält die Fibel das zitternde Kind
Und rennt, als ob man es jage;
Hohl über die Fläche sauset der Wind —
Was raschelt drüben am Hage?
Das ist der gespenstische Gräberknecht,
Der dem Meister die besten Torfe verzecht;
Hu, hu, es bricht wie ein irres Rind!
Hinducket das Knäblein zage.

Vom Ufer starret Gestumpf hervor,
Unheimlich nicket die Föhre,
Der Knabe rennt, gespannt das Ohr,
Durch Riesenhalme wie Speere;
Und wie es rieselt und knittert drin!
Das ist die unselige Spinnerin,
Das ist die gebannte Spinnlenor',
Die den Haspel dreht im Geröhre!

Voran, voran! nur immer im Lauf,
Voran, als woll' es ihn holen!
Vor seinem Fuße brodelt es auf,
Es pfeift ihm unter den Sohlen

Wie eine gespenstige Melodei;
Das ist der Geigenmann ungetreu,
Das ist der diebische Fiedler Knauf,
Der den Hochzeitheller gestohlen!

Da birst das Moor, ein Seufzer geht
Hervor aus der klaffenden Höhle;
Weh, weh, da ruft die verdammte Margret:
„Ho, ho, meine arme Seele!"
Der Knabe springt wie ein wundes Reh;
Wär' nicht Schutzengel in seiner Näh',
Seine bleichenden Knöchelchen fände spät
Ein Gräber im Moorgeschwele.

Da mählich gründet der Boden sich,
Und drüben, neben der Weide,
Die Lampe flimmert so heimatlich,
Der Knabe steht an der Scheide.
Tief atmet er auf, zum Moore zurück
Noch immer wirft er den scheuen Blick:
Ja, im Geröhre war's fürchterlich,
Oh, schaurig war's in der Heide!

Die Vergeltung 98

1.
Der Kapitän steht an der Spiere,
Das Fernrohr in gebräunter Hand,
Dem schwarzgelockten Passagiere
Hat er den Rücken zugewandt.
Nach einem Wolkenstreif in Sinnen
Die beiden wie zwei Pfeiler sehn,
Der Fremde spricht: „Was braut da drinnen?" —
„Der Teufel", brummt der Kapitän.

Da hebt von morschen Balkens Trümmer
Ein Kranker seine feuchte Stirn,
Des Äthers Blau, der See Geflimmer,
Ach, alles quält sein fiebernd Hirn!
Er läßt die Blicke, schwer und düster,
Entlängs dem harten Pfühle gehn,
Die eingegrabnen Worte liest er:
„Batavia Fünfhundertzehn."

Die Wolke steigt, zur Mittagsstunde
Das Schiff ächzt auf der Wellen Höhn.
Gezisch, Geheul aus wüstem Grunde,
Die Bohlen weichen mit Gestöhn.
„Jesus, Marie! wir sind verloren!"
Vom Mast geschleudert der Matros,
Ein dumpfer Krach in aller Ohren,
Und langsam löst der Bau sich los.

Noch liegt der Kranke am Verdecke,
Um seinen Balken fest geklemmt,
Da kommt die Flut, und eine Strecke
Wird er ins wüste Meer geschwemmt.
Was nicht geläng der Kräfte Sporne,
Das leistet ihm der starre Krampf,
Und wie ein Narwal mit dem Horne
Schießt fort er durch der Wellen Dampf.

Wie lange so? — er weiß es nimmer,
Dann trifft ein Strahl des Auges Ball,
Und langsam schwimmt er mit der Trümmer
Auf ödem glitzerndem Kristall.
Das Schiff! — die Mannschaft! — sie versanken.
Doch nein, dort auf der Wasserbahn,
Dort sieht den Passagier er schwanken
In einer Kiste morschem Kahn.

Armsel'ge Lade! sie wird sinken,
Er strengt die heisre Stimme an:
„Nur grade! Freund, du drückst zur Linken!"
Und immer näher schwankt's heran,
Und immer näher treibt die Trümmer,
Wie ein verwehtes Möwennest;
„Courage!" ruft der kranke Schwimmer,
„Mich dünkt, ich sehe Land im West!"

Nun rühren sich der Fähren Ende,
Er sieht des fremden Auges Blitz,
Da plötzlich fühlt er starke Hände,
Fühlt wütend sich gezerrt vom Sitz.
„Barmherzigkeit! ich kann nicht kämpfen."
Er klammert dort, er klemmt sich hier;
Ein heisrer Schrei, den Wellen dämpfen,
Am Balken schwimmt der Passagier.

Dann hat er kräftig sich geschwungen
Und schaukelt durch das öde Blau,
Er sieht das Land wie Dämmerungen
Enttauchen und zergehn in Grau.
Noch lange ist er so geschwommen,
Umflattert von der Möwe Schrei,
Dann hat ein Schiff ihn aufgenommen,
Viktoria! nun ist er frei!

2.

Drei kurze Monde sind verronnen,
Und die Fregatte liegt am Strand,
Wo mittags sich die Robben sonnen
Und Bursche klettern übern Rand,
Den Mädchen ist's ein Abenteuer,
Es zu erschaun vom fernen Riff,
Denn noch zerstört ist nicht geheuer
Das greuliche Korsarenschiff.

Und vor der Stadt, da ist ein Waten,
Ein Wühlen durch das Kiesgeschrill,
Da die verrufenen Piraten
Ein jeder sterben sehen will.
Aus Strandgebälken, morsch, zertrümmert,
Hat man den Galgen, dicht am Meer,
In wüster Eile aufgezimmert.
Dort dräut er von der Düne her!

Welch ein Getümmel an den Schranken! —
„Da kommt der Frei — der Hessel jetzt —
Da bringen sie den schwarzen Franken,
Der hat geleugnet bis zuletzt." —
„Schiffbrüchig sei er hergeschwommen",
Höhnt eine Alte, „ei, wie kühn!
Doch keiner sprach zu seinem Frommen,
Die ganze Bande gegen ihn."

Der Passagier, am Galgen stehend,
Hohläugig, mit zerbrochnem Mut,
Zu jedem Räuber flüstert flehend:
„Was tat dir mein unschuldig Blut?
Barmherzigkeit! — so muß ich sterben
Durch des Gesindels Lügenwort,
O, mög die Seele euch verderben!"
Da zieht ihn schon der Scherge fort.

Er sieht die Menge wogend spalten —
Er hört das Summen im Gewühl —
Nun weiß er, daß des Himmels Walten
Nur seiner Pfaffen Gaukelspiel!
Und als er in des Hohnes Stolze
Will starren nach den Ätherhöhn,
Da liest er an des Galgens Holze:
„Batavia. Fünfhundertzehn."

Leise zieht durch mein Gemüt
Liebliches Geläute.
Klinge, kleines Frühlingslied,
Kling hinaus ins Weite.

Kling hinaus, bis an das Haus,
Wo die Blumen sprießen.
Wenn du eine Rose schaust,
Sag', ich laß' sie grüßen.

Ich weiß nicht, was soll es bedeuten, 100
Daß ich so traurig bin;
Ein Märchen aus alten Zeiten,
Das kommt mir nicht aus dem Sinn.

Die Luft ist kühl und es dunkelt,
Und ruhig fließt der Rhein;
Der Gipfel des Berges funkelt
Im Abendsonnenschein.

Die schönste Jungfrau sitzet
Dort oben wunderbar,
Ihr goldnes Geschmeide blitzet,
Sie kämmt ihr goldenes Haar.

Sie kämmt es mit goldenem Kamme,
Und singt ein Lied dabei;
Das hat eine wundersame
Gewaltige Melodei.

Den Schiffer im kleinen Schiffe
Ergreift es mit wildem Weh;
Er schaut nicht die Felsenriffe,
Er schaut nur hinauf in die Höh.

Ich glaube, die Wellen verschlingen
Am Ende Schiffer und Kahn;
Und das hat mit ihrem Singen
Die Lorelei getan.

101   Du bist wie eine Blume
So hold und schön und rein;
Ich schau dich an, und Wehmut
Schleicht mir ins Herz hinein.

Mir ist, als ob ich die Hände
Aufs Haupt dir legen sollt,
Betend, daß Gott dich erhalte
So rein und schön und hold.

102   Ich hatte einst ein schönes Vaterland.
Der Eichenbaum
Wuchs dort so hoch, die Veilchen nickten sanft.
Es war ein Traum.

Das küßte mich auf deutsch und sprach auf deutsch
(Man glaubt es kaum,
Wie gut es klang) das Wort: Ich liebe dich!
Es war ein Traum.

103   Das Fräulein stand am Meere
Und seufzte lang und bang,
Es rührte sie so sehre
Der Sonnenuntergang.

„Mein Fräulein! sein Sie munter,
Das ist ein altes Stück;
Hier vorne geht sie unter
Und kehrt von hinten zurück.''

Wünschelrute

Schläft ein Lied in allen Dingen,
Die da träumen fort und fort,
Und die Welt hebt an zu singen,
Triffst du nur das Zauberwort.

Mondnacht 105

Es war, als hätt der Himmel
die Erde still geküßt,
daß sie im Blütenschimmer
von ihm nun träumen müßt.

Die Luft ging durch die Felder,
die Ähren wogten sacht,
es rauschten leis die Wälder,
so sternklar war die Nacht.

Und meine Seele spannte
weit ihre Flügel aus,
flog durch die stillen Lande,
als flöge sie nach Haus.

106   **Der frohe Wandersmann**

Wem Gott will rechte Gunst erweisen,
Den schickt er in die weite Welt;
Dem will er seine Wunder weisen
In Berg und Wald und Strom und Feld.

Die Trägen, die zu Hause liegen,
Erquicket nicht das Morgenrot;
Sie wissen nur von Kinderwiegen,
Von Sorgen, Last und Not um Brot.

Die Bächlein von den Bergen springen,
Die Lerchen schwirren hoch vor Lust,
Was sollt ich nicht mit ihnen singen
Aus voller Kehl und frischer Brust?

Den lieben Gott laß ich nur walten;
Der Bächlein, Lerchen, Wald und Feld
Und Erd und Himmel will erhalten,
Hat auch mein Sach aufs best bestellt!

107   **Das zerbrochene Ringlein**

In einem kühlen Grunde
Da geht ein Mühlenrad,
Mein' Liebste ist verschwunden,
Die dort gewohnet hat.

Sie hat mir Treu versprochen,
Gab mir ein'n Ring dabei,
Sie hat die Treu gebrochen,
Mein Ringlein brach entzwei.

92

Ich möcht als Spielmann reisen
Weit in die Welt hinaus
Und singen meine Weisen
Und gehn von Haus zu Haus.

Ich möcht als Reiter fliegen
Wohl in die blut'ge Schlacht,
Um stille Feuer liegen
Im Feld bei dunkler Nacht.

Hör ich das Mühlrad gehen:
Ich weiß nicht, was ich will —
Ich möcht am liebsten sterben,
Da wär's auf einmal still!

Clemens Brentano   108

Abenständchen

Hör! es klagt die Flöte wieder,
und die kühlen Brunnen rauschen,
golden wehn die Töne nieder —
stille, stille, laß uns lauschen!

Holdes Bitten, mild Verlangen,
wie es süß zum Herzen spricht!
Durch die Nacht, die mich umfangen,
blickt zu mir der Töne Licht.

109   **Wiegenlied**

Singet leise, leise, leise,
singt ein flüsternd Wiegenlied,
von dem Monde lernt die Weise,
der so still am Himmel zieht.

Singt ein Lied so süß gelinde,
wie die Quellen auf den Kieseln,
wie die Bienen um die Linde
summen, murmeln, flüstern, rieseln.

110   Friedrich Hölderlin

Hälfte des Lebens

Mit gelben Birnen hänget
und voll mit wilden Rosen
das Land in den See,
ihr holden Schwäne,
und trunken von Küssen
tunkt ihr das Haupt
ins heilignüchterne Wasser.

Weh mir, wo nehm ich, wenn
es Winter ist, die Blumen, und wo
den Sonnenschein,
und Schatten der Erde?
Die Mauern stehn
sprachlos und kalt, im Winde
klirren die Fahnen.

Der Handschuh

Vor seinem Löwengarten,
Das Kampfspiel zu erwarten,
Saß König Franz,
Und um ihn die Großen der Krone,
Und rings auf hohem Balkone
Die Damen in schönem Kranz.

Und wie er winkt mit dem Finger,
Auftut sich der weite Zwinger,
Und hinein mit bedächtigem Schritt
Ein Löwe tritt
Und sieht sich stumm
Rings um
Mit langem Gähnen
Und schüttelt die Mähnen
Und streckt die Glieder
Und legt sich nieder.

Und der König winkt wieder,
Da öffnet sich behend
Ein zweites Tor,
Daraus rennt
Mit wildem Sprunge
Ein Tiger hervor.
Wie der den Löwen erschaut,
Brüllt er laut,
Schlägt mit dem Schweif
Einen furchtbaren Reif
Und recket die Zunge,
Und im Kreise scheu
Umgeht er den Leu
Grimmig schnurrend;
Drauf streckt er sich murrend
Zur Seite nieder.

Und der König winkt wieder,
Da speit das doppelt geöffnete Haus
Zwei Leoparden auf einmal aus.
Die stürzen mit mutiger Kampfbegier
Auf das Tigertier;
Das packt sie mit seinen grimmigen Tatzen,
Und der Leu mit Gebrüll
Richtet sich auf, da wird's still;
Und herum im Kreis,
Von Mordsucht heiß,
Lagern sich die greulichen Katzen.

Da fällt von des Altans Rand
Ein Handschuh von schöner Hand
Zwischen den Tiger und den Leu'n
Mitten hinein.

Und zu Ritter Delorges spottenderweis
Wendet sich Fräulein Kunigund':
„Herr Ritter, ist Eure Lieb' so heiß,
Wie Ihr mir's schwört zu jeder Stund',
Ei, so hebt mir den Handschuh auf!''

Und der Ritter in schnellem Lauf
Steigt hinab in den furchtbaren Zwinger
Mit festem Schritte,
Und aus der Ungeheuer Mitte
Nimmt er den Handschuh mit keckem Finger.
Und mit Erstaunen und mit Grauen
Sehen's die Ritter und Edelfrauen,
Und gelassen bringt er den Handschuh zurück.
Da schallt ihm sein Lob aus jedem Munde,
Aber mit zärtlichem Liebesblick —
Er verheißt ihm sein nahes Glück —
Empfängt ihn Fräulein Kunigunde.
Und er wirft ihr den Handschuh ins Gesicht:
„Den Dank, Dame, begehr' ich nicht!''
Und verläßt sie zur selben Stunde.

Drei Worte nenn ich euch, inhaltschwer,
Sie gehen von Munde zu Munde,
Doch stammen sie nicht von außen her,
Das Herz nur gibt davon Kunde;
Dem Menschen ist aller Wert geraubt,
Wenn er nicht mehr an die drei Worte glaubt.

Der Mensch ist frei geschaffen, ist frei
Und würd er in Ketten geboren,
Laßt euch nicht irren des Pöbels Geschrei,
Nicht den Mißbrauch rasender Toren;
Vor dem Sklaven, wenn er die Kette bricht,
Vor dem freien Menschen erzittert nicht.

Und die Tugend, sie ist kein leerer Schall,
Der Mensch kann sie üben im Leben,
Und sollt er auch straucheln überall,
Er kann nach der göttlichen streben;
Und was kein Verstand der Verständigen sieht,
Das übet in Einfalt ein kindlich Gemüt.

Und ein Gott ist, ein heiliger Wille lebt,
Wie auch der menschliche wanke,
Hoch über der Zeit und dem Raume webt
Lebendig der höchste Gedanke;
Und ob alles in ewigem Wechsel kreist,
Es beharret im Wechsel ein ruhiger Geist.

Die drei Worte bewahret euch, inhaltschwer,
Sie pflanzet von Munde zu Munde,
Und stammen sie gleich nicht von außen her,
Euer Innres gibt davon Kunde;
Dem Menschen ist nimmer sein Wert geraubt,
Solang er noch an die drei Worte glaubt.

Die Bürgschaft

Zu Dionys, dem Tyrannen, schlich
Damon, den Dolch im Gewande;
Ihn schlugen die Häscher in Bande.
,,Was wolltest du mit dem Dolche, sprich!''
Entgegnet ihm finster der Wüterich.
,,Die Stadt vom Tyrannen befreien!''
,,Das sollst du am Kreuze bereuen.''

,,Ich bin'', spricht jener, ,,zu sterben bereit
Und bitte nicht um mein Leben;
Doch willst du Gnade mir geben,
Ich flehe dich um drei Tage Zeit,
Bis ich die Schwester dem Gatten gefreit;
Ich lasse den Freund dir als Bürgen —
Ihn magst du, entrinn ich, erwürgen.''

Da lächelt der König mit arger List
Und spricht nach kurzem Bedenken:
,,Drei Tage will ich dir schenken.
Doch wisse: wenn sie verstrichen, die Frist,
Eh du zurück mir gegeben bist,
So muß er statt deiner erblassen,
Doch dir ist die Strafe erlassen.''

Und er kommt zum Freunde: ,,Der König gebeut,
Daß ich am Kreuz mit dem Leben
Bezahle das frevelnde Streben;
Doch will er mir gönnen drei Tage Zeit,
Bis ich die Schwester dem Gatten gefreit.
So bleib du dem König zum Pfande,
Bis ich komme, zu lösen die Bande.''

Und schweigend umarmt ihn der treue Freund
Und liefert sich aus dem Tyrannen,
Der andere ziehet von dannen.

Und ehe das dritte Morgenrot scheint,
Hat er schnell mit dem Gatten die Schwester vereint,
Eilt heim mit sorgender Seele,
Damit er die Frist nicht verfehle.

Da gießt unendlicher Regen herab,
Von den Bergen stürzen die Quellen,
Und die Bäche, die Ströme schwellen.
Und er kommt ans Ufer mit wanderndem Stab —
Da reißet die Brücke der Strudel hinab,
Und donnernd sprengen die Wogen
Des Gewölbes krachenden Bogen.

Und trostlos irrt er an Ufers Rand:
Wie weit er auch spähet und blicket
Und die Stimme, die rufende, schicket —
Da stößet kein Nachen vom sichern Strand,
Der ihn setze an das gewünschte Land,
Kein Schiffer lenket die Fähre,
Und der wilde Strom wird zum Meere.

Da sinkt er ans Ufer und weint und fleht,
Die Hände zum Zeus erhoben:
,,O hemme des Stromes Toben!
Es eilen die Stunden, im Mittag steht
Die Sonne, und wenn sie niedergeht
Und ich kann die Stadt nicht erreichen,
So muß der Freund mir erbleichen.''

Doch wachsend erneut sich des Stromes Wut,
Und Welle auf Welle zerrinnet,
Und Stunde an Stunde entrinnet.
Da treibt ihn die Angst, da faßt er sich Mut
Und wirft sich hinein in die brausende Flut
Und teilt mit gewaltigen Armen
Den Strom, und ein Gott hat Erbarmen.

Und gewinnt das Ufer und eilet fort
Und danket dem rettenden Gotte;
Da stürzet die raubende Rotte
Hervor aus des Waldes nächtlichem Ort,
Den Pfad ihm sperrend, und schnaubet Mord
Und hemmet des Wanderers Eile
Mit drohend geschwungener Keule.

„Was wollt ihr?" ruft er für Schrecken bleich,
„Ich habe nichts als mein Leben,
Das muß ich dem Könige geben!"
Und entreißt die Keule dem nächsten gleich:
„Um des Freundes willen erbarmet euch!"
Und drei, mit gewaltigen Streichen,
Erlegt er, die andern entweichen.

Und die Sonne versendet glühenden Brand;
Und von der unendlichen Mühe
Ermattet sinken die Kniee:
„O hast du mich gnädig aus Räuberhand,
Aus dem Strom mich gerettet ans heilige Land,
Und soll hier verschmachtend verderben,
Und der Freund mir, der liebende, sterben!"

Und horch! da sprudelt es silberhell
Ganz nahe, wie rieselndes Rauschen,
Und stille hält er, zu lauschen;
Und sieh, aus dem Felsen, geschwätzig, schnell,
Springt murmelnd hervor ein lebendiger Quell,
Und freudig bückt er sich nieder
Und erfrischet die brennenden Glieder.

Und die Sonne blickt durch der Zweige Grün
Und malt auf den glänzenden Matten
Der Bäume gigantische Schatten;
Und zwei Wanderer sieht er die Straße ziehn,
Will eilenden Laufes vorüberfliehn,

Da hört er die Worte sie sagen:
„Jetzt wird er ans Kreuz geschlagen."

Und die Angst beflügelt den eilenden Fuß,
Ihn jagen der Sorge Qualen;
Da schimmern in Abendrots Strahlen
Von ferne die Zinnen von Syrakus,
Und entgegen kommt ihm Philostratus,
Des Hauses redlicher Hüter,
Der erkennet entsetzt den Gebieter:

„Zurück! du rettest den Freund nicht mehr,
So rette das eigene Leben!
Den Tod erleidet er eben.
Von Stunde zu Stunde gewartet' er
Mit hoffender Seele der Wiederkehr,
Ihm konnte den mutigen Glauben
Der Hohn des Tyrannen nicht rauben."

„Und ist es zu spät und kann ich ihm nicht
Ein Retter willkommen erscheinen,
So soll mich der Tod ihm vereinen.
Des rühme der blutge Tyrann sich nicht,
Daß der Freund dem Freunde gebrochen die Pflicht —
Er schlachte der Opfer zweie
Und glaube an Liebe und Treue."

Und die Sonne geht unter, da steht er am Tor
Und sieht das Kreuz schon erhöhet,
Das die Menge gaffend umstehet;
An dem Seile schon zieht man den Freund empor,
Da zertrennt er gewaltig den dichten Chor:
„Mich, Henker!" ruft er, „erwürget!
Da bin ich, für den er gebürget!"

Und Erstaunen ergreifet das Volk umher,
In den Armen liegen sich beide

Und weinen für Schmerzen und Freude.
Da sieht man kein Auge tränenleer,
Und zum Könige bringt man die Wundermär;
Der fühlt ein menschliches Rühren,
Läßt schnell vor den Thron sie führen.

Und blicket sie lange verwundert an;
Drauf spricht er: „Es ist euch gelungen,
Ihr habt das Herz mir bezwungen,
Und die Treue, sie ist doch kein leerer Wahn —
So nehmet auch mich zum Genossen an.
Ich sei, gewährt mir die Bitte,
In eurem Bunde der Dritte."

114   Johann Wolfgang Goethe

Maifest

Wie herrlich leuchtet
Mir die Natur!
Wie glänzt die Sonne!
Wie lacht die Flur!

Es dringen Blüten
Aus jedem Zweig
Und tausend Stimmen
Aus dem Gesträuch,

Und Freud und Wonne
Aus jeder Brust.
O Erd, o Sonne!
O Glück, o Lust!

O Lieb, o Liebe,
So golden schön,
Wie Morgenwolken
Auf jenen Höhn!

Du segnest herrlich
Das frische Feld,
Im Blütendampfe
Die volle Welt.

O Mädchen, Mädchen,
Wie lieb ich dich!
Wie blickt dein Auge!
Wie liebst du mich!

So liebt die Lerche
Gesang und Luft,
Und Morgenblumen
Den Himmelsduft.

Wie ich dich liebe
Mit warmem Blut,
Die du mir Jugend
Und Freud und Mut

Zu neuen Liedern
Und Tänzen gibst.
Sei ewig glücklich,
Wie du mich liebst!

Gefunden

Ich ging im Walde
So für mich hin,
Und nichts zu suchen,
Das war mein Sinn.

Im Schatten sah ich
Ein Blümlein stehn,
Wie Sterne leuchtend,
Wie Äuglein schön.

Ich wollt es brechen,
Da sagt' es fein:
Soll ich zum Welken
Gebrochen sein?

Ich grubs mit allen
Den Würzlein aus,
Zum Garten trug ichs
Am hübschen Haus.

Und pflanzt es wieder
Am stillen Ort;
Nun zweigt es immer
Und blüht so fort.

Heidenröslein

Sah ein Knab ein Röslein stehn,
Röslein auf der Heiden,
War so jung und morgenschön,
Lief er schnell, es nah zu sehn,
Sahs mit vielen Freuden.
Röslein, Röslein, Röslein rot,
Röslein auf der Heiden.

Knabe sprach: Ich breche dich,
Röslein auf der Heiden!
Röslein sprach: Ich steche dich,
Daß du ewig denkst an mich,
Und ich wills nicht leiden.
Röslein, Röslein, Röslein rot,
Röslein auf der Heiden.

Und der wilde Knabe brach
's Röslein auf der Heiden;
Röslein wehrte sich und stach,
Half ihm doch kein Weh und Ach,
Mußt es eben leiden.
Röslein, Röslein, Röslein rot,
Röslein auf der Heiden.

Wandrers Nachtlied

Über allen Gipfeln
Ist Ruh,
In allen Wipfeln
Spürest du
Kaum einen Hauch;
Die Vögelein schweigen im Walde.
Warte nur, balde
Ruhest du auch.

Der Fischer

Das Wasser rauscht', das Wasser schwoll,
Ein Fischer saß daran,
Sah nach dem Angel ruhevoll,
Kühl bis ans Herz hinan.
Und wie er sitzt und wie er lauscht,
Teilt sich die Flut empor;
Aus dem bewegten Wasser rauscht
Ein feuchtes Weib hervor.

Sie sang zu ihm, sie sprach zu ihm:
Was lockst du meine Brut
Mit Menschenwitz und Menschenlist
Hinauf in Todesglut?
Ach wüßtest du, wie's Fischlein ist
So wohlig auf dem Grund,
Du stiegst herunter, wie du bist,
Und würdest erst gesund.

Labt sich die liebe Sonne nicht,
Der Mond sich nicht im Meer?
Kehrt wellenatmend ihr Gesicht
Nicht doppelt schöner her?
Lockt dich der tiefe Himmel nicht,
Das feuchtverklärte Blau?
Lockt dich dein eigen Angesicht
Nicht her in ewgen Tau?

Das Wasser rauscht', das Wasser schwoll,
Netzt' ihm den nackten Fuß;
Sein Herz wuchs ihm so sehnsuchtsvoll,
Wie bei der Liebsten Gruß.
Sie sprach zu ihm, sie sang zu ihm;
Da wars um ihn geschehn:
Halb zog sie ihn, halb sank er hin,
Und ward nicht mehr gesehn.

Erlkönig

Wer reitet so spät durch Nacht und Wind?
Es ist der Vater mit seinem Kind;
Er hat den Knaben wohl in dem Arm,
Er faßt ihn sicher, er hält ihn warm.

Mein Sohn, was birgst du so bang dein Gesicht? —
Siehst, Vater, du den Erlkönig nicht?
Den Erlenkönig mit Kron und Schweif? —
Mein Sohn, es ist ein Nebelstreif. —

„Du liebes Kind, komm geh mit mir!
Gar schöne Spiele spiel ich mit dir;
Manch bunte Blumen sind an dem Strand,
Meine Mutter hat manch gülden Gewand."

Mein Vater, mein Vater, und hörest du nicht,
Was Erlkönig mir leise verspricht? —
Sei ruhig, bleibe ruhig, mein Kind;
In dürren Blättern säuselt der Wind. —

„Willst, feiner Knabe, du mit mir gehn?
Meine Töchter sollen dich warten schön;
Meine Töchter führen den nächtlichen Reihn,
Und wiegen und tanzen und singen dich ein."

Mein Vater, mein Vater, und siehst du nicht dort
Erlkönigs Töchter am düstern Ort? —
Mein Sohn, mein Sohn, ich seh es genau:
Es scheinen die alten Weiden so grau. —

„Ich liebe dich, mich reizt deine schöne Gestalt;
Und bist du nicht willig, so brauch ich Gewalt."
Mein Vater, mein Vater, jetzt faßt er mich an!
Erlkönig hat mir ein Leids getan! —

Dem Vater grausets, er reitet geschwind,
Er hält in den Armen das ächzende Kind,
Erreicht den Hof mit Müh und Not;
In seinen Armen das Kind war tot.

120 **Der Zauberlehrling**

Hat der alte Hexenmeister
Sich doch einmal wegbegeben!
Und nun sollen seine Geister
Auch nach meinem Willen leben.
Seine Wort' und Werke
Merkt ich und den Brauch,
Und mit Geistesstärke
Tu ich Wunder auch.

Walle! walle
Manche Strecke,
Daß, zum Zwecke,
Wasser fließe
Und mit reichem, vollem Schwalle
Zu dem Bade sich ergieße.

Und nun komm, du alter Besen!
Nimm die schlechten Lumpenhüllen;
Bist schon lange Knecht gewesen:
Nun erfülle meinen Willen!
Auf zwei Beinen stehe,
Oben sei ein Kopf,
Eile nun und gehe
Mit dem Wassertopf!

Walle! walle
Manche Strecke,
Daß, zum Zwecke,

Wasser fließe
Und mit reichem, vollem Schwalle
Zu dem Bade sich ergieße.

Seht, er läuft zum Ufer nieder,
Wahrlich! ist schon an dem Flusse,
Und mit Blitzesschnelle wieder
Ist er hier mit raschem Gusse.
Schon zum zweiten Male!
Wie das Becken schwillt!
Wie sich jede Schale
Voll mit Wasser füllt!

Stehe, stehe!
Denn wir haben
Deiner Gaben
Vollgemessen! —
Ach, ich merk es! Wehe! wehe!
Hab ich doch das Wort vergessen!

Ach, das Wort, worauf am Ende
Er das wird, was er gewesen.
Ach, er läuft und bringt behende!
Wärst du doch der alte Besen!
Immer neue Güsse
Bringt er schnell herein,
Ach! und hundert Flüsse
Stürzen auf mich ein.

Nein, nicht länger
Kann ichs lassen;
Will ihn fassen.
Das ist Tücke!
Ach! nun wird mir immer bänger!
Welche Miene! welche Blicke!

O, du Ausgeburt der Hölle!
Soll das ganze Haus ersaufen?
Seh ich über jede Schwelle
Doch schon Wasserströme laufen.
Ein verruchter Besen,
Der nicht hören will!
Stock, der du gewesen,
Steh doch wieder still!

Willsts am Ende
Gar nicht lassen?
Will dich fassen,
Will dich halten
Und das alte Holz behende
Mit dem scharfen Beile spalten.

Seht da kommt er schleppend wieder!
Wie ich mich nun auf dich werfe,
Gleich, o Kobold, liegst du nieder;
Krachend trifft die glatte Schärfe.
Wahrlich, brav getroffen!
Seht er ist entzwei!
Und nun kann ich hoffen,
Und ich atme frei!

Wehe! wehe!
Beide Teile
Stehn in Eile
Schon als Knechte
Völlig fertig in die Höhe!
Helft mir, ach! ihr hohen Mächte!

Und sie laufen! Naß und nässer
Wirds im Saal und auf den Stufen.
Welch entsetzliches Gewässer!
Herr und Meister! hör mich rufen! —

Ach, da kommt der Meister!
Herr, die Not ist groß!
Die ich rief, die Geister
Werd ich nun nicht los.

„In die Ecke,
Besen, Besen!
Seids gewesen.
Denn als Geister
Ruft euch nur zu diesem Zwecke,
Erst hervor der alte Meister."

Türmerlied   121

Zum Sehen geboren,
Zum Schauen bestellt,
Dem Turme geschworen,
Gefällt mir die Welt.

Ich blick in die Ferne,
Ich seh in der Näh
Den Mond und die Sterne,
Den Wald und das Reh.

So seh ich in allen
Die ewige Zier,
Und wie mir's gefallen,
Gefall ich auch mir.

Ihr glücklichen Augen,
Was je ihr gesehn,
Es sei, wie es wolle,
Es war doch so schön!

Dämmrung senkte sich von oben

Dämmrung senkte sich von oben,
Schon ist alle Nähe fern;
Doch zuerst emporgehoben
Holden Lichts der Abendstern!
Alles schwankt ins Ungewisse,
Nebel schleichen in die Höh;
Schwarzvertiefte Finsternisse
Widerspiegelnd ruht der See.

Nun im östlichen Bereiche
Ahnd ich Mondenglanz und -glut,
Schlanker Weiden Haargezweige
Scherzen auf der nächsten Flut.
Durch bewegter Schatten Spiele
Zittert Lunas Zauberschein
Und durchs Auge schleicht die Kühle
Sänftigend ins Herz hinein.

Herbstlied

Bunt sind schon die Wälder,
Gelb die Stoppelfelder,
Und der Herbst beginnt.
Rote Blätter fallen,
Graue Nebel wallen,
Kühler weht der Wind.

Wie die volle Traube
Aus dem Rebenlaube
Purpurfarbig strahlt!
Am Geländer reifen
Pfirsiche mit Streifen
Rot und weiß bemalt.

Sieh! Wie hier die Dirne
Emsig Pflaum und Birne
In ihr Körbchen legt,
Dort mit leichten Schritten
Jene goldnen Quitten
In den Landhof trägt!

Flinke Träger springen,
Und die Mädchen singen,
Alles jubelt froh!
Bunte Bänder schweben
Zwischen hohen Reben
Auf dem Hut von Stroh.

Geige tönt und Flöte
Bei der Abendröte
Und im Mondenglanz;
Junge Winzerinnen
Winken und beginnen
Deutschen Ringeltanz.

Ludwig Christoph Heinrich Hölty

Frühlingslied

Die Luft ist blau, das Tal ist grün,
Die kleinen Maienglocken blühn
Und Schlüsselblumen drunter;
    Der Wiesengrund
    Ist schon so bunt
Und malt sich täglich bunter.

Drum komme, wem der Mai gefällt,
Und freue sich der schönen Welt
Und Gottes Vatergüte,
    Die diese Pracht
    Hervorgebracht,
Den Baum und seine Blüte.

125   **Die Mainacht**

Wenn der silberne Mond durch die Gesträuche blickt
Und sein schlummerndes Licht über den Rasen gießt
    Und die Nachtigall flötet,
        Wandl ich traurig von Busch zu Busch.

Selig preis ich dich dann, flötende Nachtigall,
Weil dein Weibchen mit dir wohnet in einem Nest,
    Ihrem singenden Gatten
        Tausend trauliche Küsse gibt.

Überschattet von Laub, girret ein Taubenpaar
Sein Entzücken mir vor; aber ich wende mich,
    Suche dunkle Gesträuche,
        Und die einsame Träne rinnt.

Wann, o lächelndes Bild, welches wie Morgenrot
Durch die Seele mir strahlt, find ich auf Erden dich?
Und die einsame Träne
Bebt mir heißer die Wang herab.

Matthias Claudius   126

Abendlied

Der Mond ist aufgegangen,
Die goldnen Sternlein prangen
    Am Himmel hell und klar;
Der Wald steht schwarz und schweiget,
Und aus den Wiesen steiget
    Der weiße Nebel wunderbar.

Wie ist die Welt so stille
Und in der Dämmrung Hülle
    So traulich und so hold,
Als eine stille Kammer,
Wo ihr des Tages Jammer
    Verschlafen und vergessen sollt.

Seht ihr den Mond dort stehen?
Er ist nur halb zu sehen
    Und ist doch rund und schön.
So sind wohl manche Sachen,
Die wir getrost belachen,
    Weil unsre Augen sie nicht sehn.

Wir stolze Menschenkinder
Sind eitel arme Sünder
    Und wissen gar nicht viel;
Wir spinnen Luftgespinste
Und suchen viele Künste
    Und kommen weiter von dem Ziel.

Gott, laß uns dein Heil schauen,
Auf nichts Vergänglichs trauen,
　　Nicht Eitelkeit uns freun!
Laß uns einfältig werden
Und vor dir hier auf Erden
　　Wie Kinder fromm und fröhlich sein!

Wollst endlich sonder Grämen
Aus dieser Welt uns nehmen
　　Durch einen sanften Tod,
Und wenn du uns genommen,
Laß uns in Himmel kommen,
　　Du lieber treuer frommer Gott!

So legt euch denn, ihr Brüder,
In Gottes Namen nieder!
　　Kalt ist der Abendhauch.
Verschon uns, Gott, mit Strafen
Und laß uns ruhig schlafen
　　Und unsern kranken Nachbarn auch!

Friedrich Gottlieb Klopstock

Die Sommernacht

Wenn der Schimmer von dem Monde nun herab
In die Wälder sich ergießt, und Gerüche
Mit den Düften von der Linde
In den Kühlungen wehn:

So umschatten mich Gedanken an das Grab
Der Geliebten, und ich seh in dem Walde
Nur es dämmern, und es weht mir
Von der Blüte nicht her.

Ich genoß einst, o ihr Toten, es mit euch!
Wie umwehten uns der Duft und die Kühlung,
Wie verschönt warst von dem Monde
Du, o schöne Natur!

Gotthold Ephraim Lessing

Lob der Faulheit

Faulheit, jetzo will ich dir
auch ein kleines Loblied bringen. —
O — wie — sau — er wird es mir, —
dich — nach Würden — zu besingen!
Doch, ich will mein Bestes tun,
nach der Arbeit ist gut ruhn.

Höchstes Gut! wer dich nur hat,
dessen ungestörtes Leben —
Ach! — ich — gähn' — ich — werde matt. —
Nun — so — magst du — mir's vergeben,
daß ich dich nicht singen kann;
du verhinderst mich ja dran.

Johann Wilhelm Ludwig Gleim

Anakreon

Anakreon, mein Lehrer,
Singt nur von Wein und Liebe;
Er salbt den Bart mit Salben
Und singt von Wein und Liebe;
Er krönt sein Haupt mit Rosen
Und singt von Wein und Liebe;
Er paaret sich im Garten
Und singt von Wein und Liebe;
Er wird beim Trunk ein König
Und singt von Wein und Liebe;
Er spielt mit seinen Göttern,
Er lacht mit seinen Freunden,
Vertreibt sich Gram und Sorgen,
Verschmäht den reichen Pöbel,
Verwirft das Lob der Helden
Und singt von Wein und Liebe:
Soll denn sein treuer Schüler
Von Haß und Wasser singen?

Letztes Lied

Meine Blumen sind verblüht!
Sing es, kleines Lied!
Meine Blumen sind verblüht,
Aber andre, hoff ich, werden
Schöner blühn auf schönern Erden,
Wo die kleinste nicht verblüht.
Sing es, kleines Lied!

Der erste Mai

Der erste Tag im Monat Mai
Ist mir der glücklichste von allen.
Dich sah ich und gestand dir frei,
Den ersten Tag im Monat Mai,
Daß dir mein Herz ergeben sei.
Wenn mein Geständnis dir gefallen,
So ist der erste Tag im Mai
Für mich der glücklichste von allen.

Kirschblüte bei der Nacht

Ich sahe mit betrachtendem Gemüte
Jüngst einen Kirschbaum, welcher blühte,
In kühler Nacht beim Mondenschein;
Ich glaubt', es könne nichts von größrer Weiße sein.
Es schien, ob wär ein Schnee gefallen.
Ein jeder, auch der kleinste Ast
Trug gleichsam eine rechte Last
von zierlich-weißen runden Ballen.
Es ist kein Schwan so weiß, da nämlich jedes Blatt,
Indem daselbst des Mondes sanftes Licht
Selbst durch die zarten Blätter bricht,
Sogar den Schatten weiß und sonder Schwärze hat.
Unmöglich, dacht ich, kann auf Erden
Was Weißers ausgefunden werden.
Indem ich nun bald hin, bald her
Im Schatten dieses Baumes gehe,
Sah ich von ungefähr
Durch alle Blumen in die Höhe
Und ward noch einen weißern Schein,
Der tausendmal so weiß, der tausendmal so klar,
Fast halb darob erstaunt, gewahr.
Der Blüte Schnee schien schwarz zu sein
Bei diesem weißen Glanz. Es fiel mir ins Gesicht
Von einem hellen Stern ein weißes Licht,
Das mir recht in die Seele strahlte.

Wie sehr ich mich an Gott im Irdischen ergetze,
Dacht ich, hat Er dennoch weit größre Schätze.
Die größte Schönheit dieser Erden
Kann mit der himlischen doch nicht verglichen werden.

Abendlied

Nun ruhen alle Wälder,
Vieh, Menschen, Städt und Felder,
Es schläft die ganze Welt:
Ihr aber, meine Sinnen,
Auf, auf, ihr sollt beginnen,
Was eurem Schöpfer wohlgefällt.

Wo bist du Sonne blieben?
Die Nacht hat dich vertrieben,
Die Nacht, des Tages Feind;
Fahr hin, ein andre Sonne,
Mein Jesus, meine Wonne,
Gar hell in meinem Herzen scheint.

Der Tag ist nun vergangen,
Die güldnen Sternlein prangen
Am blauen Himmelssaal;
Also werd ich auch stehen,
Wann mich wird heißen gehen
Mein Gott aus diesem Jammertal.

Der Leib eilt nun zur Ruhe,
Legt ab das Kleid und Schuhe,
Das Bild der Sterblichkeit;
Die zieh ich aus, dagegen
Wird Christus mir anlegen
Den Rock der Ehr und Herrlichkeit.

Das Haupt, die Füß und Hände
Sind froh, daß nun zum Ende
Die Arbeit kommen sei;
Herz, freu dich: du sollst werden
Vom Elend dieser Erden
Und von der Sünden Arbeit frei.

Nun geht, ihr matten Glieder,
Geht hin und legt euch nieder,
Der Betten ihr begehrt;
Es kommen Stund und Zeiten,
Da man euch wird bereiten
Zur Ruh ein Bettlein in der Erd.

Mein Augen stehn verdrossen,
Im Hui sind sie geschlossen,
Wo bleibt denn Leib und Seel?
Nimm sie zu deinen Gnaden,
Sei gut für allen Schaden,
Du Aug und Wächter Israel.

Breit aus die Flügel beide,
O Jesu, meine Freude,
Und nimm dein Küchlein ein;
Will Satan mich verschlingen,
So laß die Englein singen:
Dies Kind soll unverletzet sein.

Auch euch, ihr meine Lieben,
Soll heute nicht betrüben
Kein Unfall noch Gefahr.
Gott laß euch selig schlafen,
Stell euch die güldnen Waffen
Ums Bett und seiner Engel Schar.

Heutige Weltkunst

Anders sein und anders scheinen,
Anders reden, anders meinen,
Alles loben, alles tragen,
Allen heucheln, stets behagen,
Allem Winde Segel geben,
Bös' und Guten dienstbar leben,
Alles Tun und alles Dichten
Bloß auf eignen Nutzen richten:
Wer sich dessen will befleißen,
Kann politisch heuer heißen.

Des Krieges Buchstaben 135

Kummer, der das Mark verzehrt,
Raub, der Hab und Gut verheert,
Jammer, der den Sinn verkehrt,
Elend, das den Leib beschwert,
Grausamkeit, die unrecht kehrt,
Sind die Frucht, die Krieg gewährt.

Paul Fleming

Wie er wollte geküßt sein

Nirgends hin, als auf den Mund,
Da sinkt's in des Herzens Grund.
Nicht zu frei, nicht zu gezwungen,
Nicht mit gar zu faulen Zungen.

Nicht zu wenig, nicht zu viel,
Beides wird sonst Kinderspiel.
Nicht zu laut, und nicht zu leise,
Bei dem Maß ist rechte Weise.

Nicht zu nahe, nicht zu weit.
Dies macht Kummer, jenes Leid.
Nicht zu trocken, nicht zu feuchte,
Wie Adonis Venus reichte.

Nicht zu hart und nicht zu weich.
Bald zugleich, bald nicht zugleich.
Nicht zu langsam, nicht zu schnelle.
Nicht ohn' Unterschied der Stelle.

Halb gebissen, halb gehaucht,
Halb die Lippen eingetaucht.
Nicht ohn' Unterschied der Zeiten.
Mehr allein, als unter Leuten.

Küsse nun ein jedermann,
Wie er weiß, will, soll und kann.
Ich nur, und die Liebste wissen,
Wie wir uns recht sollen küssen.

Andreas Gryphius

Menschliches Elende

Was sind wir Menschen doch? Ein Wohnhaus grimmer Schmerzen,
    Ein Ball des falschen Glücks, ein Irrlicht dieser Zeit,
    Ein Schauplatz herber Angst, besetzt mit scharfem Leid,
Ein bald verschmelzter Schnee und abgebrannte Kerzen.

Dies Leben fleucht davon wie ein Geschwätz und Scherzen.
    Die vor uns abgelegt des schwachen Leibes Kleid
    Und in das Totenbuch der großen Sterblichkeit
Längst eingeschrieben sind, sind uns aus Sinn' und Herzen.

    Gleich wie ein eitel Traum leicht aus der Acht hinfällt
    Und wie ein Strom verfleußt, den keine Macht aufhält,
So muß auch unser Nam, Lob, Ehr und Ruhm verschwinden.

    Was jetzund Atem holt, muß mit der Luft entfliehn,
    Was nach uns wird, wird uns ins Grab nachziehn.
Was sag ich? Wir vergehn wie Rauch von starken Winden!

Martin Opitz

Schönheit dieser Welt vergehet

Schönheit dieser Welt vergehet,
Wie ein Wind, der niemals stehet,
Wie die Blume, so kaum blüht
Und auch schon zur Erden sieht,
Wie die Welle, die erst kömmt
Und den Weg bald weiter nimmt.
Was für Urteil soll ich fällen?
Welt ist Wind, ist Blum und Wellen.

(Bruchstück)

Sich des Todes nicht versehen

All die wir leben hier auf Erden,
Ihr lieben Freund', betrogen werden,
Weil wir nicht vorzusehn gewohnt
Den Tod, der unser doch nicht schont.
Wir wissen, und es ist uns kund,
Daß uns gesetzet ist die Stund,
Und wissen nicht wo, wann und wie?
Doch ließ der Tod noch keinen hie,
Wir sterben all und fließen hinnen
Wie Wasser, die zur Erde rinnen.
Darum sind wir gar große Narren,
Daß wir nicht denken in viel Jahren,
Die uns Gott deshalb leben läßt,
Daß wir uns rüsten auf das best'
Zum Tod und lernen, daß wir hinnen
Einst müssen, ohne zu entrinnen.

(Auszug)

Quellenverzeichnis

Atabay, Cyrus
All das — (Nr. 31): *Einige Schatten.* Limes/Wiesbaden 1956.

Bachmann, Ingeborg
Die große Fracht (Nr. 33), Es ist Feuer unter der Erde (Nr. 32), Botschaft (Nr. 34): *Ingeborg Bachmann: Die gestundete Zeit. Anrufung des Großen Bären. Gedichte.* Piper/München 1974 (= Serie Piper 78).

Beck, Karl Isidor
Im wilden Viertel (Nr. 86): Jost Hermand (Hg.): *Der deutsche Vormärz. Texte und Dokumente.* Reclam/Stuttgart 1967 (= RUB 8794—98).

Benn, Gottfried
Restaurant (Nr. 45), Was schlimm ist (Nr. 46), Reisen (Nr. 47), Astern (Nr. 48): *Gesammelte Werke III.* Limes/Wiesbaden [3]1966.

Brant, Sebastian
Sich des Todes nicht versehen (Auszug) (Nr. 139): *Das Narrenschiff.* Reclam/Stuttgart 1972 (= RUB 899/900/00 a—d).

Brecht, Bertolt
Schwächen (Nr. 40), Vergnügungen (Nr. 41), Mein junger Sohn fragt mich (Nr. 39), Der Rauch (Nr. 43), Der Radwechsel (Nr. 42), Tannen (Nr. 44): *Werkausgabe edition suhrkamp IX, X* / Frankfurt a. M. (76.—90. Tausend) 1973.

Brentano, Clemens
Abendständchen (Nr. 108), Wiegenlied (Nr. 109): *Werke I.* Hanser/München 1968.

Brinkmann, Rolf Dieter
Selbstbildnis im Supermarkt (Nr. 5): *Die Piloten.* Kiepenheuer & Witsch/ Köln 1968.

Britting, Georg
Krähenschrift (Nr. 49): *Gedichte 1940—1951.* Nymphenburger/München 1957.

Brockes, Barthold Heinrich
Kirschblüte bei der Nacht (Nr. 132): Ludwig Fulda (Hg.): *Die Gegner der zweiten schlesischen Schule.* Spemann/Berlin u. Stuttgart o. J. (= Bd. 39, *Deutsche National-Litteratur*, hg. von Joseph Kürschner).

Busch, Ralph
An meinen Vater (Nr. 12), Wechsellied (Nr. 13): Armin Schmid (Hg.): *Pri-*

manerlyrik. Primanerprosa. Eine Anthologie. Rowohlt/o. O. (Reinbek) 1965
(= rororo 795).

Busch, Wilhelm
Die Affen (Nr. 78): *Sämtliche Werke in 2 Bänden.* Bertelsmann/Gütersloh
o. J.

Carossa, Hans
Finsternisse fallen dichter (Nr. 64): *Sämtliche Werke I.* Insel/Frankfurt a. M.
1962.

Celan, Paul
In den Flüssen nördlich der Zukunft (Nr. 30), Psalm (Nr. 29): *Ausgewählte
Gedichte.* Suhrkamp/Frankfurt a. M. 1968 (= edition suhrkamp 262).

Claudius, Matthias
Abendlied (Nr. 126): August Sauer (Hg.): *Der Göttinger Dichterbund,*
3. Teil. Union Deutsche Verlagsgesellschaft/Stuttgart o. J. (= Bd. 50, 2. Ab-
teilung, *Deutsche National-Litteratur*, hg. von Joseph Kürschner).

Degenhardt, Franz Josef
Deutscher Sonntag (Nr. 17): *Spiel nicht mit den Schmuddelkindern. Balla-
den, Chansons, Grotesken, Lieder.* Rowohlt/Reinbek (146.–153. Tausend)
1969 (= rororo 1168).

Dehmel, Richard
Manche Nacht (Nr. 75): *Gesammelte Werke II.* Fischer/Berlin 1913.

Droste-Hülshoff, Annette von
Der Knabe im Moor (Nr. 97), Die Vergeltung (Nr. 98): *Sämtliche Werke.*
Hanser/München [4]1963.

Eich, Günter
Inventur (Nr. 35), Aurora (Nr. 36), Zwischenbescheid für bedauernswerte
Bäume (Nr. 37), Timetable (Nr. 38): *Gesammelte Werke I.* Suhrkamp/
Frankfurt a. M. 1973.

Eichendorff, Joseph von
Mondnacht (Nr. 105), Wünschelrute (Nr. 104), Der frohe Wandersmann
(Nr. 106), Das zerbrochene Ringlein (Nr. 107): *Werke und Schriften I.*
Cotta/Stuttgart (4.–8. Tausend) 1957.

Eichhorn, Manfred
Lohnarbeit (Nr. 3), familienleben (Nr. 2): Werkkreis Literatur der Arbeitswelt: *Geht dir da nicht ein Auge auf. Gedichte.* Fischer Taschenbuch Ver-
lag/Frankfurt a. M. 1974 (= Fischer Taschenbuch 1478).

Enzensberger, Hans Magnus
nänie auf den apfel (Nr. 24): *blindenschrift.* Suhrkamp/Frankfurt a. M. 1964.

Fleming, Paul
Wie er wollte geküßt sein (Nr. 136): Heinrich Stiehler (Hg.): *Ausgewählte Dichtungen.* Reclam/Leipzig o. J..

Fontane, Theodor
Die Brück am Tay (Nr. 83): *Sämtliche Werke XX.* Nymphenburger/München 1962.

Fried, Erich
Humorlos (Nr. 22): *... und vietnam und ...* . Wagenbach/Berlin 1966. Definition (Nr. 21): *Warngedichte.* Hanser/München 1964. Die Maßnahmen (Nr. 20): *Gedichte.* Claassen/Hamburg 1958.

Fringeli, Dieter
Gute alte Zeit (Nr. 7), Gras (Nr. 6): *Das Wort reden.* Walter/Olten 1971.

Fuchs, Günter Bruno
Schularbeiten (Nr. 8): *Das Lesebuch des Günter Bruno Fuchs.* Hanser/München 1970.

George, Stefan
Mein garten bedarf nicht luft und nicht wärme (Nr. 73): *Werke I.* Küpper (Bondi)/Düsseldorf u. München 1968.

Gerhardt, Paul
Abendlied (Nr. 133): Fr. von Schmidt (Hg.): *Paul Gerhardts geistliche Lieder.* Reclam/Leipzig o. J..

Gleim, Johann Wilhelm Ludwig
Letztes Lied (Nr. 130), Anakreon (Nr. 129): Franz Muncker (Hg.): *Anakreontiker und preußisch-patriotische Lyriker I.* Union Deutsche Verlagsgesellschaft/Stuttgart o. J. (= Bd. 45, *Deutsche National-Litteratur*, hg. von Joseph Kürschner).

Goethe, Johann Wolfgang
Der Fischer (Nr. 118), Erlkönig (Nr. 119), Türmerlied (Nr. 121) (Bd. III), Der Zauberlehrling (Nr. 120), Dämmerung senkte sich von oben (Nr. 122), Maifest (Nr. 114), Wandrers Nachtlied (Nr. 117), Heidenröslein (Nr. 116), Gefunden (Nr. 115): *Werke* (wo nicht anders vermerkt) *I. Hamburger Ausgabe*/Wegner [3]1956.

Gomringer, Eugen
schweigen (Nr. 26), (wind) (Nr. 27): *worte sind schatten. die konstellationen 1951–1968.* Rowohlt/Reinbek 1969.

Gryphius, Andreas
Menschliches Elende (Nr. 137): [vereinfacht] nach: Albrecht Schöne (Hg.): *Die deutsche Literatur. Texte und Zeugnisse, Bd. 3. Das Zeitalter des Barock.* Beck/München 1963.

Hacks, Peter
Ballade vom schweren Leben des Ritters Kauz von Rabensee (Nr. 14): *Das Windloch.* Hörnemann/Bonn 1970.

Hagedorn, Friedrich von
Der erste Mai (Nr. 131): Franz Muncker (Hg.): *Anakreontiker und preußisch-patriotische Lyriker I.* Union Deutsche Verlagsgesellschaft/Stuttgart o. J. (= Bd. 45, *Deutsche National-Litteratur*, hg. von Joseph Kürschner).

Handke, Peter
Der Rand der Wörter I (Nr. 15): *Die Innenwelt der Außenwelt der Innenwelt.* Suhrkamp/Frankfurt a. M. 1969 (= edition suhrkamp 307).

Härtling Peter
der letzte elefant (Nr. 28): *Spiegelgeist. Spiegelgeist.* Goverts/Stuttgart 1962.

Hausmann, Manfred
Die Bremer Stadtmusikanten (Nr. 54): *Irrsal der Liebe.* Fischer/Frankfurt a. M. 1960.

Hebbel, Friedrich
Herbstbild (Nr. 89): *Werke III.* Hanser/München 1965.

Heine, Heinrich
Du bist wie eine Blume (Nr. 101), Ich weiß nicht, was soll es bedeuten (Nr. 100): *Sämtliche Schriften I.* Hanser/München 1968. Das Fräulein stand am Meere (Nr. 103), Ich hatte einst ein schönes Vaterland (Nr. 102), Leise zieht durch mein Gemüt (Nr. 99): *Sämtliche Schriften IV.* Hanser/München 1974.

Heym, Georg
Der Abend (Nr. 61), Der Gott der Stadt (Nr. 60): *Dichtungen und Schriften I.* Ellermann/Hamburg 1964.

Hoddis, Jakob von
Weltende (Nr. 63): *Weltende. Gesammelte Dichtungen.* Arche/Zürich o. J.

Hoffmann von Fallersleben, August Heinrich
Wie ist doch die Zeitung interessant! (Nr. 96): *Ausgewählte Werke in vier Bänden* [in einem Band] *II.* Hesse/Leipzig o. J..

Hofmannsthal, Hugo von
Vorfrühling (Nr. 69), Die beiden (Nr. 70), Regen in der Dämmerung

(Nr. 72), Ballade des äußeren Lebens (Nr. 71): *Gedichte und lyrische Dramen.* Fischer/Stockholm 1963.

Hölderlin, Friedrich
Hälfte des Lebens (Nr. 110): *Große Stuttgarter Ausgabe*/Cotta 1951.

Hölty, Ludwig Christoph Heinrich
Die Mainacht (Nr. 125), Frühlingslied (Nr. 124): *Werke und Briefe.* Aufbau/Berlin u. Weimar 1966.

Holz, Arno
Rote Dächer (Nr. 74): *Phantasus.* Reclam/Stuttgart 1968. (= RUB 8549-50).

Huchel, Peter
Wintersee (Nr. 51): *Die Sternenreuse. Gedichte 1925—1947.* Piper/München 1967.

Jandl, Ernst
(markierung einer wende) (Nr. 9): *Sprechblasen. Gedichte.* Luchterhand/Neuwied 1968. ottos mops (Nr. 10): *Der künstliche Baum.* Luchterhand/Neuwied 1970. calypso (Nr. 11): *Laut und Luise.* Luchterhand/Neuwied 1971.

Kästner, Erich
Wieso warum? (Nr. 52), Das Eisenbahngleichnis (Nr. 53): *Gesammelte Schriften I.* Kiepenheuer & Witsch/Köln [3]o. J..

Keller, Gottfried
Unter Sternen (Nr. 85), Majorität (Nr. 84): *Gedichte. Eine Auswahl.* Reclam/Stuttgart 1968 (= RUB 6197).

Klopstock, Friedrich Gottlieb
Die Sommernacht (Nr. 127): *Werke.* Hanser/München 1954.

Kunert, Günter
Film — verkehrt eingespannt (Nr. 23): *Verkündigungen des Wetters.* Hanser/München 1966.

Lasker-Schüler, Else
Weltflucht (Nr. 65): *Sämtliche Gedichte.* Kösel/München 1966.

Lehmann, Wilhelm
An der Eckernförder Bucht (Nr. 50): *Sämtliche Werke III.* Mohn/o. O. [Gütersloh] 1962.

Lenau, Nikolaus
Sonnenuntergang (Nr. 95), Bitte (Nr. 94): *Werke in einem Band.* Hoffmann & Campe/Hamburg 1966.

Lessing, Gotthold Ephraim
Lob der Faulheit (Nr. 128): *Gesammelte Werke I.* Aufbau/Berlin 1954.

Lichtenstein, Alfred
Die Fahrt nach der Irrenanstalt II (Nr. 62): *Gesammelte Gedichte.* Arche/ Zürich 1962.

Logau, Friedrich von
Heutige Weltkunst (Nr. 134), Des Krieges Buchstaben (Nr. 135): [vereinfacht nach] Gustav Eitner (Hg.): *Sämtliche Sinngedichte.* Bibliothek des Litterarischen Vereins/Tübingen 1872.

Maiwald, Peter
Wohnhaft (Nr. 4): *Für eine andere Deutschstunde.* Asso/Oberhausen 1972.

Matz, Hildegard
hierzulande — heutzutage (Nr. 1): Werkkreis Literatur der Arbeitswelt: *Geht dir da nicht ein Auge auf. Gedichte.* Fischer Taschenbuch Verlag/ Frankfurt a. M. 1974 (= Fischer Taschenbuch 1478).

Meyer, Conrad Ferdinand
Der römische Brunnen (Nr. 81), Säerspruch (Nr. 79), Zwei Segel (Nr. 80), Die Füße im Feuer (Nr. 82): *Sämtliche Werke I.* Benteli/Bern 1963.

Mon, Franz
in den schwanz gebissen (Nr. 18): *Lesebuch.* Luchterhand/Neuwied 1967.

Mörike, Eduard
Gebet (Nr. 91), September-Morgen (Nr. 90), Denk' es, o Seele! (Nr. 93), Um Mitternacht (Nr. 92): *Sämtliche Werke.* Hanser/München [2]1958.

Nietzsche, Friedrich
Ecce homo (Nr. 77), Venedig (Nr. 76): *Werke II.* Hanser/München 1955.

Opitz, Martin
Schönheit dieser Welt vergehet (Nr. 138): vereinfacht nach Marian Szyrocki (Hg.): *Lyrik des Barock I.* Rowohlt/Reinbek 1971 (= Rowohlts Klassiker. Deutsche Literatur Bd. 38).

Piontek, Heinz
Um 1800 (Nr. 25): *Deutsche Gedichte seit 1960.* Reclam/Stuttgart 1972.

Rilke, Rainer Maria
Ich fürchte mich so vor der Menschen Wort (Nr. 66), Herbst (Nr. 67), Herbsttag (Nr. 68): *Sämtliche Werke I.* Insel/o. O. MCMLV.

Ringelnatz, Joachim
Die Ameisen (Nr. 55): *und auf einmal steht es neben dir. Gesammelte Gedichte.* Henssel/Berlin 1950.

Salis-Seewis, Johann Gaudenz von
Herbstlied (Nr. 123): Karl Otto Conrady (Hg.): *Lyrik des 18. Jahrhunderts.*
Rowohlt/Reinbek 1968 (= Rowohlts Klassiker, Deutsche Literatur, Bd. 21).

Schiller, Friedrich
Die Bürgschaft (Nr. 113), Der Handschuh (Nr. 111), Die Worte des Glaubens (Nr. 112): *Sämtliche Werke I.* Hanser/München ^{2}1960.

Storm, Theodor
Meeresstrand (Nr. 88), Die Stadt (Nr. 87): *Werke I.* Cotta/Stuttgart o. J..

Törne, Volker von
Frage (Nr. 16): *Wolfspelz.* Wagenbach/Berlin 1968.

Trakl, Georg
Rondel (Nr. 56), Sommer (Nr. 57), Im Winter (Nr. 58), Verfall (Nr. 59):
Dichtungen und Briefe. Müller/Salzburg 1970.

Ulrichs, Timm
denk-spiel (Nr. 19): Eugen Gomringer (Hg.): *konkrete poesie. deutschspra-
chige autoren. anthologie.* Reclam Stuttgart 1972 (= RUB 9350).

Verzeichnis der Anfänge und Überschriften

(Anfänge kursiv. Die Zahlen verweisen auf die Nummern der Gedichte.)

Abendlied 126
Abendlied 133
Abendständchen 108
Akazien sind ohne Zeitbezug 37
All das 31
All die wir leben hier auf Erden 139
Als ich erwachte 23
Am Abend schweigt die Klage 57
Am Abend, wenn die Glocken Frieden läuten 59
Am grauen Strand, am grauen Meer 87
Anakreon 129
An der Brücke stand 76
An der Eckernförder Bucht 50
Anders sein und anders scheinen 134
An meinen Vater 12
Ans Haff nun fliegt die Möwe 88
Astern 48
Auf einem Häuserblocke sitzt er breit 60
Aufsteigt der Strahl und fallend gießt 81
Aurora 36
Aus der leichenwarmen Vorhalle des Himmels tritt die Sonne 34
Ballade des äußeren Lebens 71
Ballade vom schweren Leben des Ritters Kauz von Rabensee 14
Bemeßt den Schritt! Bemeßt den Schwung! 79
Bitte 94
Botschaft 34
Bund sind schon die Wälder 123
calypso 11
Dämmrung senkte sich von oben 122
Das Eisenbahngleichnis 53
Das Fräulein stand am Meere 103
Das kleine Haus unter Bäumen am See 43
Das waren noch Zeiten 7
Das Wasser rauscht', das Wasser schwoll 118
Das zerbrochene Ringlein 107
Definition 21
Dem Bürger fliegt vom spitzen Kopf der Hut 63
Denk' es, o Seele! 93
denk-spiel 19
Der Abend 61

Der Acker leuchtet weiß und kalt 58
Der Bauer sprach zu seinem Jungen 78
Der Beamte fragte 4
Der erste Blick aus dem Fenster am Morgen 41
Der erste Mai 131
Der erste Tag im Monat Mai 131
Der Fischer 118
Der Fortschritt/hat keene Lust 8
Der frohe Wandersmann 106
Der Gott der Stadt 60
Der Handschuh 111
Der Herr drüben bestellt sich noch ein Bier 45
Der Kapitän steht an der Spiere 98
Der Knabe im Moor 97
der letzte elefant 28
Der Mehrheit ist nicht auszuweichen 84
Der Mond ist aufgegangen 126
Der Radwechsel 42
Der Rand der Wörter I 15
Der Rauch 43
Der römische Brunnen 81
Der wandernde Wind auf den Wegen 72
Der Zauberlehrling 120
Des Krieges Buchstaben 135
Deutscher Sonntag 17
Die Affen 78
Die Ameisen 55
Die beiden 70
Die Blätter fallen, fallen wie von weit 67
Die Bremer Stadtmusikanten 54
Die Brück am Tay 83
Die Bürgschaft 113
Die Fahrt nach der Irrenanstalt II 62
Die Faulen werden geschlachtet 20
Die Füße im Feuer 82
Die große Fracht 33
Die Jungen/werfen 22
Die Krähen schreiben ihre Hieroglyphen 49
Die Luft ist blau, das Tal ist grün 124
Die Mainacht 125
Die Maßnahmen 20
Diese Flugzeuge 38
Dies ist ein Herbsttag, wie ich keinen sah 89
Dies ist meine Mütze 35

Die Sommernacht 127
Die Stadt 87
Die Vergeltung 98
Die Worte des Glaubens 112
Drei Worte nenn ich euch inhaltschwer 112
Du bist wie eine Blume 101
Du hattest keine 40
Ecce homo 77
Ein Esel, schwach und hochbetagt 54
Ein Hund/der stirbt 21
Ein kleines Mädchen hockt mit einem kleinen Bruder 62
Ein Tännlein grünet wo 93
Erlkönig 119
Es ist Feuer unter der Erde 32
Es läuft der Frühlingswind 69
Es war, als hätt der Himmel 105
Es war ein alter Ritter 14
familienleben 2
Faulheit, jetzo will ich dir 128
Film — verkehrt eingespannt 23
Finsternisse fallen dichter 64
Frage 16
Frühlingslied 124
Gebet 91
Gefunden 115
Gelassen stieg die Nacht ans Land 92
Gras 6
Gute alte Zeit 7
Hälfte des Lebens 110
Hat der alte Hexenmeister 120
Heidenröslein 116
Herbst 67
Herbstbild 89
Herbstlied 123
Herbsttag 68
Herr: es ist Zeit. 68
Herr! schicke, was du willt 91
Heutige Weltkunst 134
hier lag der apfel 24
hierzulande — heutzutage 1
Hör! es klagt die Flöte wieder 108
Humorlos 22
ich bin der letzte elefant 28
ich denke, also bin ich. 19

136

Ich fürchte mich so vor der Menschen Wort 66
Ich ging im Walde 115
Ich hatte einst ein schönes Vaterland 102
ich nahm ihre hand 2
Ich sahe mit betrachtendem Gemüte 132
Ich sitze am Straßenhang 42
ich was not yet 11
Ich weiß nicht, was soll es bedeuten 100
Ich will in das Grenzenlose 65
Ich wohn in meines Vaters Land 13
Ihr Fische, wo seid ihr 51
Im Nebel ruhet noch die Welt 90
Im wilden Viertel 86
Im Winter 58
In den Flüssen nördlich der Zukunft 30
in den schwanz gebissen 18
In der Frühe 44
In einem kühlen Grunde 107
In einer/großen/Fensterscheibe 5
In Hamburg lebten zwei Ameisen 55
Inventur 35
Ja, ich weiß, woher ich stamme 77
Kirschblüte bei der Nacht 132
Krähenschrift 49
Kummer, der das Mark verzehrt 135
Leise zieht durch mein Gemüt 99
Letztes Lied 130
Lob der Faulheit 128
Lohnarbeit 3
Maifest 114
Majorität 84
Manche Nacht 75
man darf alles — man ist frei 1
(markierung einer wende) 9
Meeresstrand 88
Meine Blumen sind verblüht 130
Meine Fahne/ist schwarz 12
Meinen Sie Zürich zum Beispiel 47
Mein garten bedarf nicht luft und nicht wärme 73
Mein Großvater starb 16
Mein junger Sohn fragt mich 39
Menschliches Elende 137
Mit gelben Birnen hänget 110
Mondnacht 105

nänie auf den apfel 24
900 Mark netto 3
Niemand knetet uns wieder aus Erde und Lehm 29
Nirgends hin, als auf den Mund 136
Nun ruhen alle Wälder 133
O Schmerzensbild! 86
Oh, schaurig ist's, übers Moor zu gehn 97
ottos mops 10
Psalm 29
Regen in der Dämmerung 72
Reisen 47
Restaurant 45
Rondel 56
Rote Dächer! 74
Säerspruch 79
Sah ein Knab ein Röslein stehn 116
Schläft ein Lied in allen Dingen 104
Schönheit dieser Welt vergehet 138
Schularbeiten 8
Schwächen 40
schweigen 26
Selbstbildnis im Supermarkt 5
September-Morgen 90
Sich des Todes nicht versehen 139
Sie trug den Becher in der Hand 70
Singet leise, leise, leise 109
Sommer 57
Sonnenuntergang 95
Sonntags in der kleinen Stadt 17
Tage, Tage 31
Tannen 44
Timetable 38
Türmerlied 121
Über allen Gipfeln 117
Über das Gras 6
Um 1800 25
Um Mitternacht 92
Und Kinder wachsen auf mit tiefen Augen 71
Unter Sternen 85
Venedig 76
Verfall 59
Verflossen ist das Gold der Tage 56
Vergnügungen 41
Versunken ist der Tag in Purpurrot 61

Vorfrühling 69
Vor seinem Löwengarten 111
Wandrers Nachtlied 117
Wann treffen wir drei weider zusamm'? 83
Wärme streichelt mein Lid 50
Warum sind tausend Kilo eine Tonne? 52
Was schlimm ist 46
Was sind wir Menschen doch? Ein Wohnhaus grimmer Schmerzen 137
Wechsellied 13
Weil' auf mir, du dunkles Auge 94
Weltende 63
Weltflucht 65
Wem Gott will rechte Gunst erweisen 106
Wende dich, du kleiner Stern 85
Wenn der Schimmer von dem Monde nun herab 127
Wenn der silberne Mond durch die Gesträuche blickt 125
Wenn die Felder sich verdunkeln 75
Wenn man kein Englisch kann 46
Wer reitet so spät durch Nacht und Wind? 119
wer zuletzt lacht, lacht zuerst noch 18
Wie er wollte geküßt sein 136
Wiegenlied 109
Wie herrlich leuchtet 114
Wie ist doch die Zeitung interessant 96
Wieso warum? 52
Wild zuckt der Blitz 82
(wind) 27
Wintersee 51
Wir sitzen alle im gleichen Zug 53
Wohnhaft 4
Wünschelrute 104
Zierlich der Kratzfuß 25
Zu Dionys, dem Tyrannen, schlich 113
Zum Sehen geboren 121
Zwei Segel 80
Zwischenbescheid für bedauernswerte Bäume 37

Deutsche Bildwerke im deutschen Gedicht

Herausgegeben von Gisbert Kranz
104 Seiten, mit 33 Abbildungen, kart. DM 10,—, Hueber-Nr. 1240

Diese Anthologie eignet sich als Arbeitsunterlage für den fortgeschrittenen Deutschunterricht im Ausland und für Projektgruppen der Sekundarstufe II in der Bundesrepublik Deutschland. Die einander zugeordneten 33 Kunstwerke und 45 Gedichte erhellen sich gegenseitig und erleichtern so das Verständnis. Das Buch vermittelt Anregungen für einen fächerverbindenden Unterricht, für synoptische Betrachtung von Dichtung und bildender Kunst, für eine Erziehung zu ästhetischer Kommunikationsfähigkeit und zu künstlerischer Sensibilität.

Die 33 Bildwerke (vom Bamberger Reiter über Bilder von Lochner, Riemenschneider, Grünewald und Dürer bis zu Gemälden und Graphiken von Friedrich, Kokoschka, Marc, Klee, Ernst, Beckmann und Grieshaber) werden von 40 Lyrikern interpretiert: Heine, Mörike, Huch, George, Lasker-Schüler, Rilke, Trakl, Hausmann, Weyrauch, Goes, Piontek, Dahl, Fuchs, Scherer, Brechbühl u. a.

MAX HUEBER VERLAG ISMANING BEI MÜNCHEN